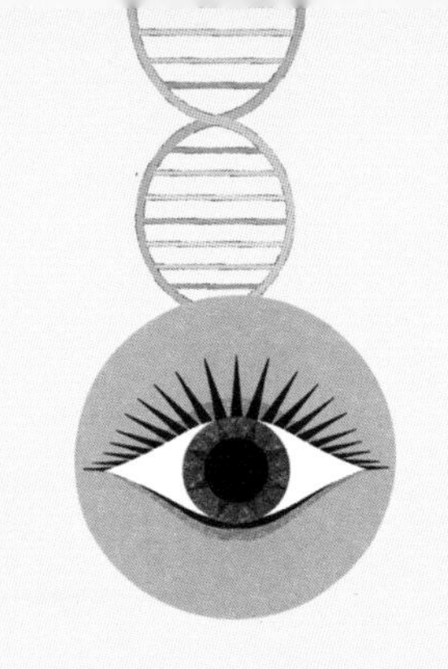

SCURTĂ CĂLĂTORIE *prin* CORPUL UMAN

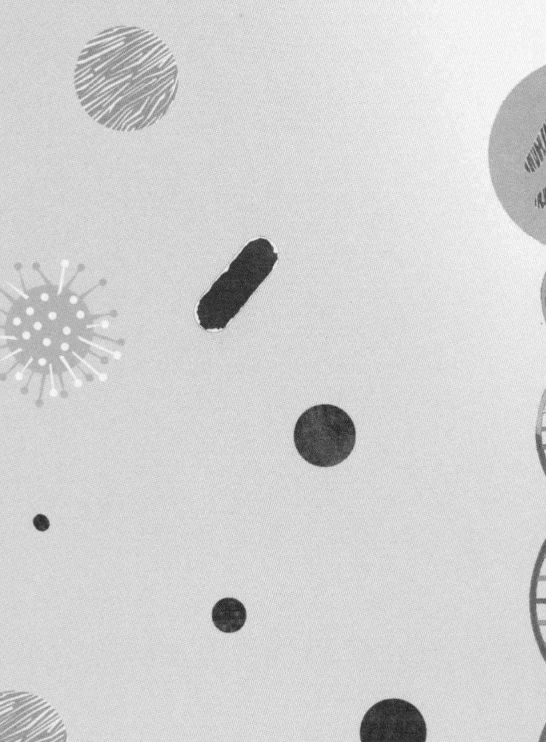

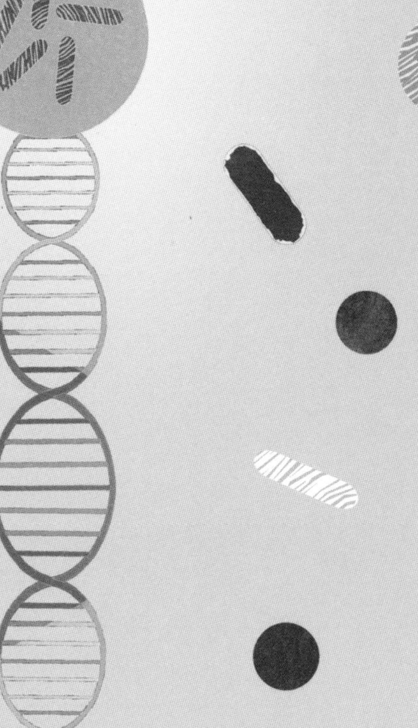

Colecţia JUNIOR este coordonată de Dan Croitoru.

The Body: A Guide for Occupants first published in Great Britain by Doubleday, a division of Transworld Publishers, 2019
A Really Short Journey Through the Body published by Puffin Books 2023

www.polirom.ro

Editura POLIROM
Iaşi, B-dul Carol I nr. 4; P.O. BOX 266, 700505
Bucureşti, Splaiul Unirii nr. 6, bl. B3A,
sc. 1, et. 1, sector 4, 040031, O.P. 53

Descrierea CIP a Bibliotecii Naţionale a României:

BRYSON, BILL

Scurtă călătorie prin corpul uman: un uimitor tur ghidat din cap până-n picioare / Bill Bryson; adapt. de Emma Young; il. de Daniel Long & Dawn Cooper & Jesús Sotés & Katie Ponder; trad. de Ioana Aneci. – Iaşi: Polirom, 2024
Index

ISBN: 978-973-46-9796-0

I. Young, Emma (adapt.)
II. Long, Daniel (il.)
III. Cooper, Dawn (il.)
IV. Sotés, Jesús (il.)
V. Ponder, Katie (il.)
VI. Aneci, Ioana (trad.)

61

Printed in ROMANIA

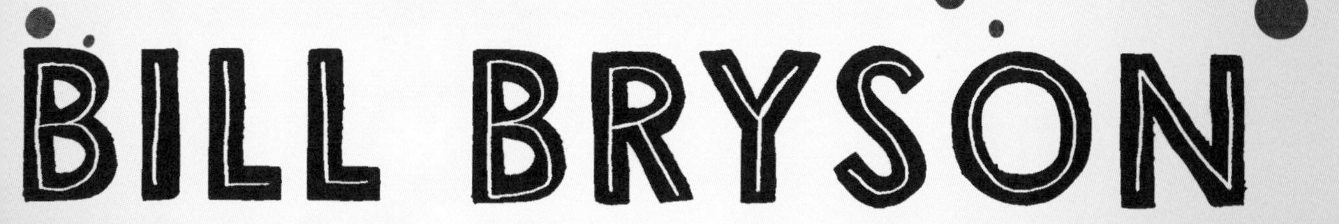

Adaptare de
EMMA YOUNG

Ilustraţii de
DANIEL LONG, DAWN COOPER, JESÚS SOTÉS şi **KATIE PONDER**

Traducere din limba engleză de
IOANA ANECI

POLIROM
2024

CUPRINS

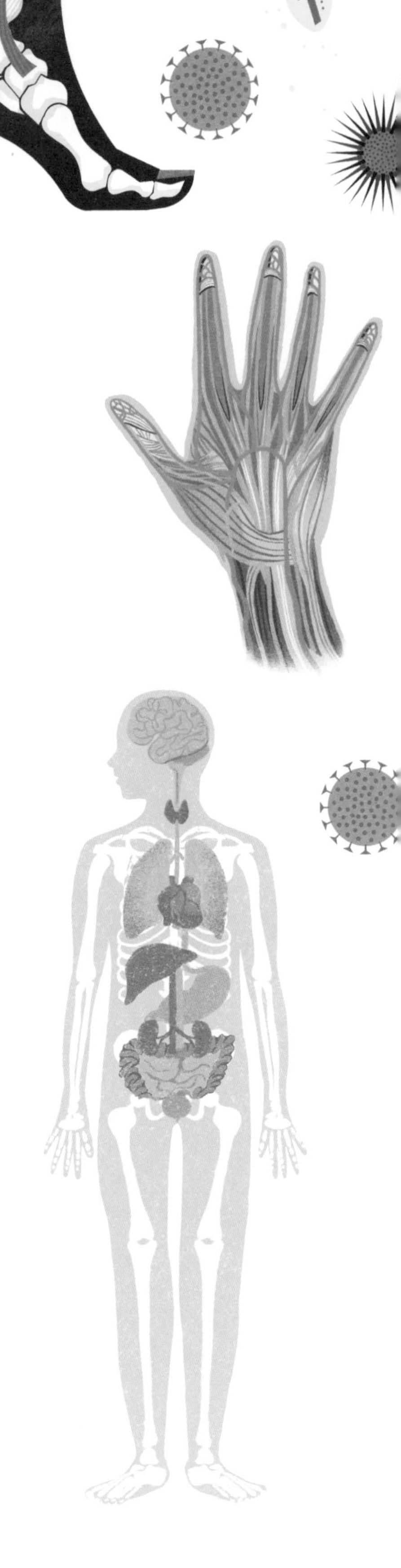

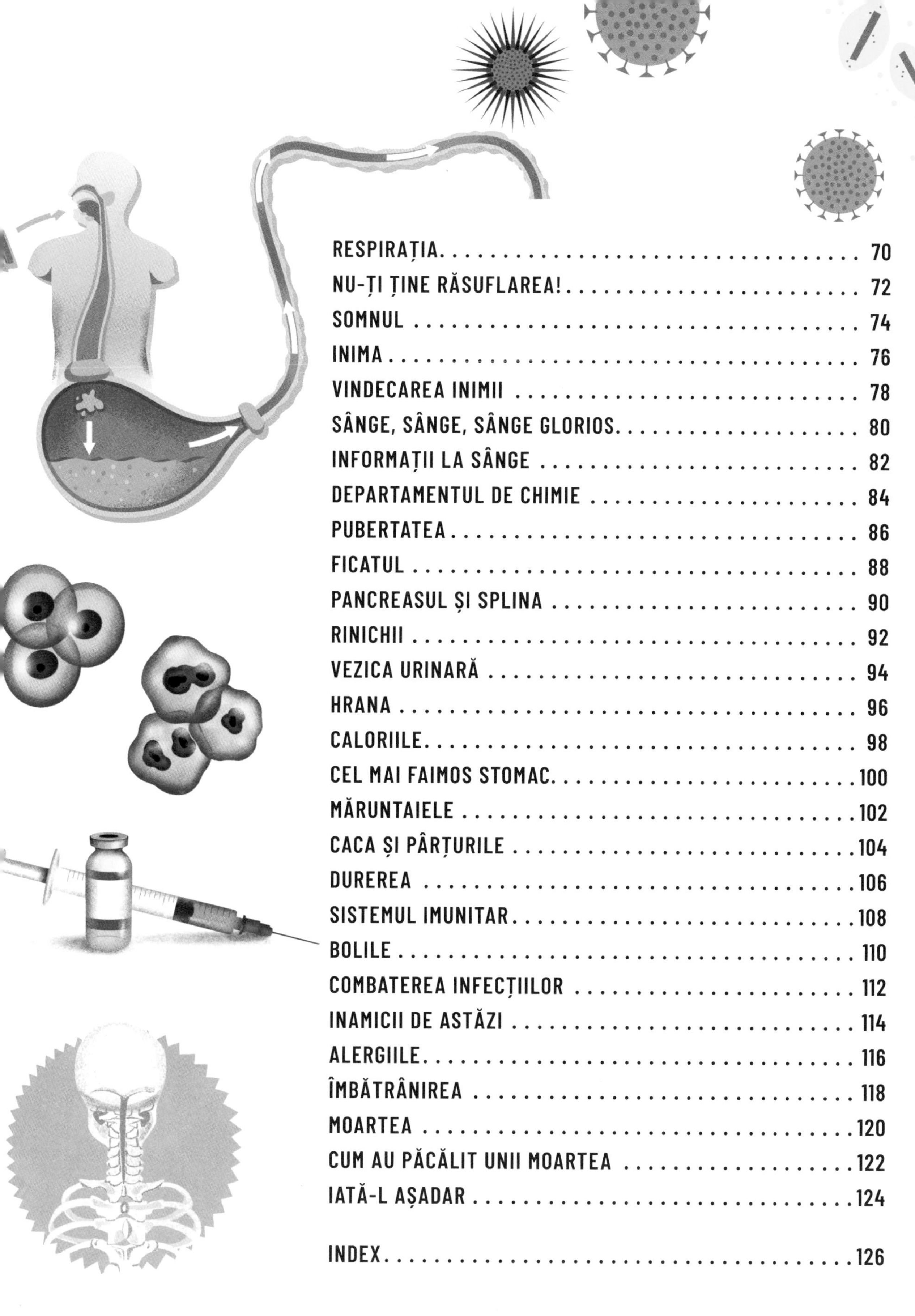

Adesea ne considerăm corpul ca fiind de la sine înțeles. Pun pariu că tu nu-l bagi în seamă pe al tău decât atunci când îți zice că are nevoie de ceva: o gustare, un ghips sau un drum la toaletă. În restul timpului, ești liber să te concentrezi asupra chestiilor cu adevărat importante, cum ar fi să te hotărăști ce joc video să mai joci sau la ce serial să te mai uiți, în timp ce corpul tău își vede de... mă rog, treaba lui, care-o mai fi și aia.

Însă chiar în clipa asta, în timp ce stai acolo și citești, corpul tău se ține de tot soiul de lucruri incredibile:

- Splina ta se luptă de zor cu armate de invadatori ucigători.
- Fără măcar să trebuiască să te gândești la asta, ochii tăi clipesc. De câte ori crezi că clipești într-o zi? De 500 de ori? De 1.000 de ori? Ei bine, clipești de 14.000 de ori. În total, ai ochii închiși 23 de minute din timpul cât stai treaz în fiecare zi – și pun pariu că nici măcar nu-ți dai seama.
- Chestia aia spongioasă din oasele tale produce pe bandă rulantă globule roșii. Poți să ghicești câte de când ai început să citești această frază? Un milion. Aceste noi globule roșii gonesc deja prin tine, alimentându-ți corpul cu oxigen prețios. Și or să tot facă asta, iar și iar, până ce vor ajunge să fie secătuite și inutilizabile. Atunci se vor lăsa distruse de alte celule, numai ca să-ți fie ție bine.

Fără îndoială, corpul este un lucru cu adevărat remarcabil – iar în cartea aceasta vreau să-ți mai spun câte ceva despre ceea ce-l face să fie atât de uimitor.

Bill Bryson

În această carte, voi vorbi în general despre corpul tipic. În realitate, bineînțeles, nu toate corpurile sunt la fel – nu ne mișcăm toți în același fel, nu avem membre identice și nu ne încadrăm cu toții în niște categorii de gen clar definite. Când descriu un corp tipic, așa cum fac aici, nu sugerez că acesta este singurul mod „normal" de a fi.

Un alt „tipic" pe care îl folosesc în această carte are legătură cu sintagma *speranță de viață* sau *durată de viață*. În medie, oamenii trăiesc cam 73 de ani. Când citești sintagma *speranță de viață* sau *durată de viață*, la asta mă refer.

CUM SĂ CONSTRUIEȘTI UN CORP

Să zicem că vrei să construiești de la zero o ființă umană. Vei avea nevoie de niște bani ca să cumperi ingredientele. Estimările variază în ceea ce privește suma exactă, dar s-ar putea să-ți ajungă nu mai mult de 100 de lire sterline.

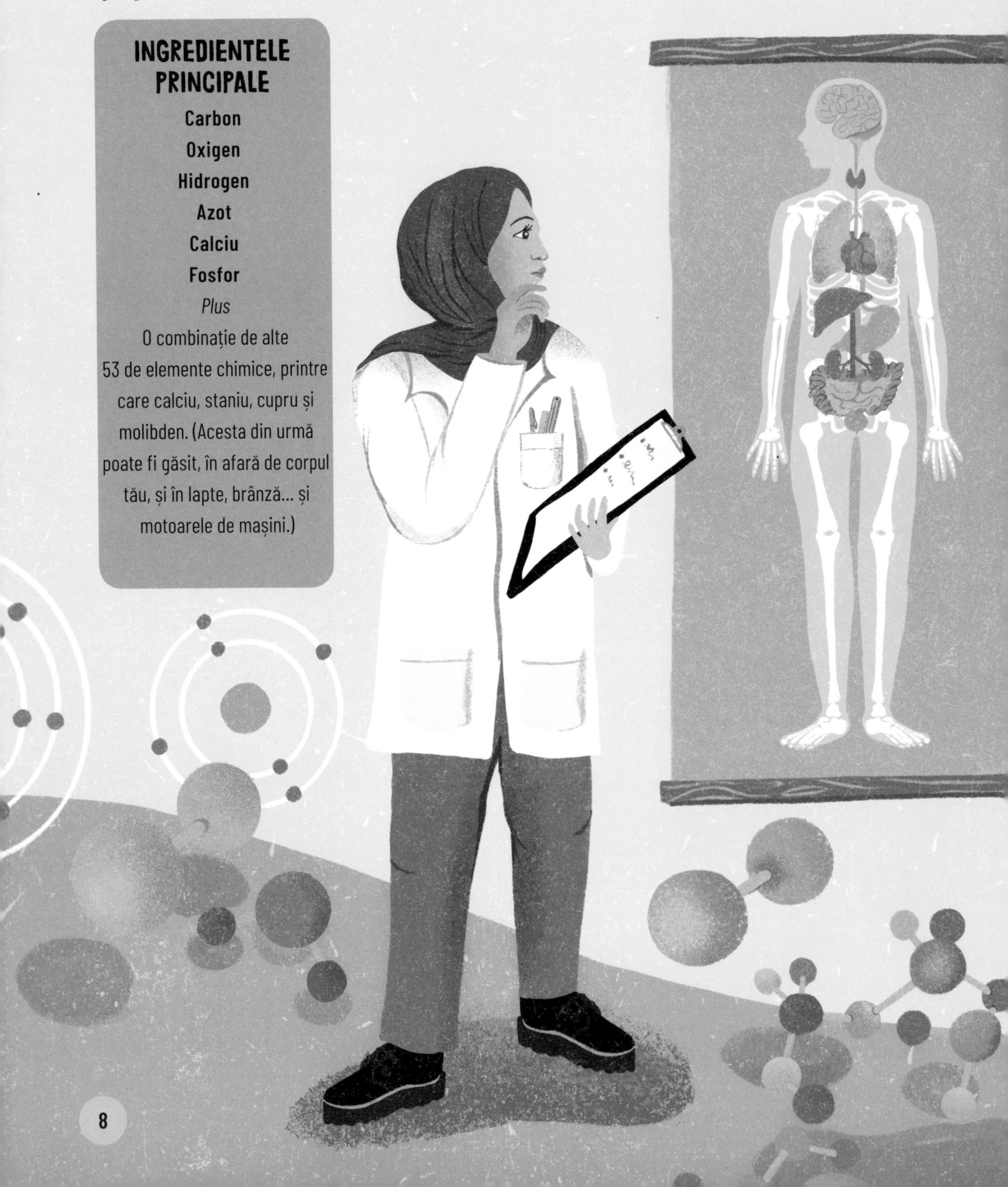

INGREDIENTELE PRINCIPALE

Carbon
Oxigen
Hidrogen
Azot
Calciu
Fosfor
Plus
O combinație de alte 53 de elemente chimice, printre care calciu, staniu, cupru și molibden. (Acesta din urmă poate fi găsit, în afară de corpul tău, și în lapte, brânză... și motoarele de mașini.)

METODA

Ei, aici lucrurile se complică nițel. Pentru că, și dacă i-ai aduna laolaltă pe cei mai inteligenți oameni de pe lumea asta sau care au trăit vreodată, tot n-ar reuși să producă nici măcar o singură celulă vie, darămite o ființă umană.

Cu totul, tu ești alcătuit din șapte miliarde de miliarde de miliarde (adică 7.000.000.000.000.000.000.000.000.000) de atomi. Puși grămadă pur și simplu, toți atomii ăștia n-ar fi mai mult decât o moviliță de praf. Dar, când se combină în mod miraculos ca să te alcătuiască pe tine, rezultatul este ceva cu adevărat extraordinar. Nu *doar* un corp, ci **însăși viața**.

Atomul este cea mai mică parte a unui element chimic. Știi, poate, că simbolul chimic al apei este H_2O? Doi atomi de hidrogen legați de un atom de oxigen = o moleculă de apă. Oxigenul reprezintă cam un sfert din atomii corpului tău. Doar aproximativ 12% dintre atomii tăi sunt carbon. Dar ne numim forme de viață pe bază de carbon deoarece carbonul este baza multora dintre moleculele cruciale din corpul nostru.

CE ESTE O CELULĂ?

Celula este unitatea de bază a vieții. Tu ești alcătuit din vreo 30 de trilioane de celule. Asta înseamnă aproximativ 30 de mii de miliarde, deci (desigur) un număr mai mic decât numărul atomilor pe care îi ai – dar tot e mult!

Dar nu toate celulele tale arată la fel. O globulă roșie nu seamănă deloc cu o celulă a splinei, care nu seamănă deloc cu o celulă a pielii ce formează pleoapa. Asta pentru că fiecare dintre ele are rolul său aparte.

Totuși, majoritatea celulelor au aceleași elemente fundamentale.

Inima celulei este **nucleul**. El conține **ADN-ul** acesteia. (Vom vedea îndată ce anume e ADN-ul.)

În afara nucleului sunt tot soiul de lucruri importante, printre care:

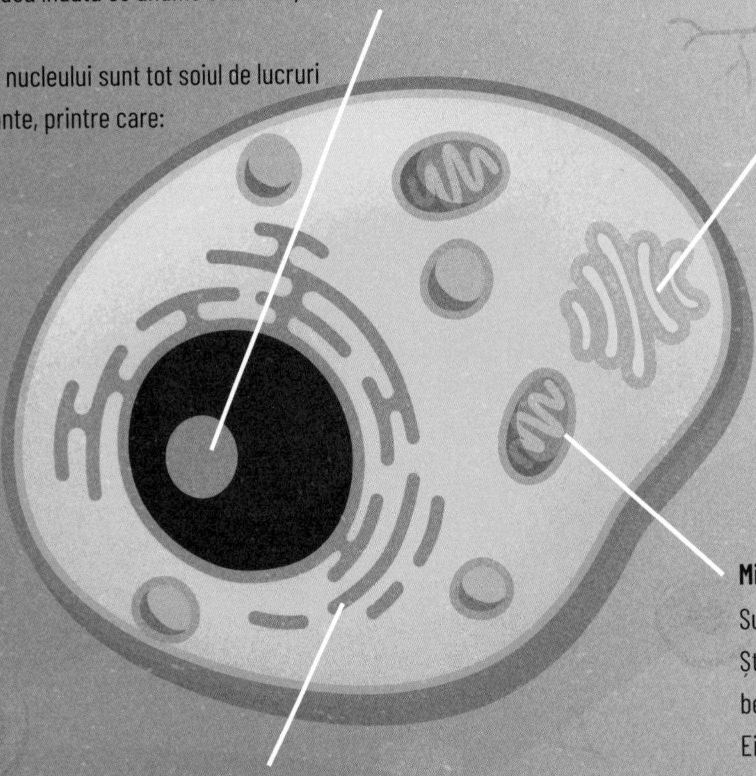

Aparatul lui Golgi

Acesta împachetează proteine și le etichetează, ca să ajungă acolo unde trebuie. Aparatul lui Golgi mai este numit „oficiul poștal al celulei".

Mitocondriile

Sunt producătorii de energie ai celulei. Știi cum funcționează mașinile cu benzină, cu motorină sau cele electrice? Ei bine, și tu funcționezi cu un carburant. Acesta se numește „acid adenozintrifosforic" sau ATP. Mitocondriile au un rol important în transformarea energiei din alimente în ATP. Fără acest carburant, celula ar muri.

Reticulul endoplasmatic

Acesta sintetizează proteinele de care are nevoie celula ca să-și facă treaba în continuare.

ADN-ul este extraordinar de subțire. Ți-ar trebui 20 de miliarde de lanțuri de ADN puse unul lângă altul ca să obții grosimea celui mai subțire fir de păr uman. Dar ai așa de mult ADN și așa de multe celule, încât, dacă l-ai pune pe tot cap la cap, ar străbate sistemul solar cale de zece miliarde de mile, până dincolo de Pluto. Îți dai seama? Ai în tine destul material ca să treci dincolo de granițele sistemului solar. Ești literalmente o ființă de proporții cosmice!

DE CE AU NEVOIE CELULELE CA SĂ SUPRAVIEȚUIASCĂ?

- **Hrană** – în special zaharuri, care conțin energia ce este transformată în ATP.
- **Oxigen** – care este vital pentru transformarea energiei din zaharuri în ATP.
- **Apă** – necesară în fiecare celulă pentru ca substanțele nutritive să se deplaseze în interiorul și în jurul ei.

Formarea ATP din hrană produce trei tipuri de deșeuri:

- **Dioxid de carbon**, pe care îl expiri.
- **Amoniac**. După ce este modificată puțin de ficat, această substanță chimică trece în pipi.
- **Apă**. Toată apa de care nu are nevoie celula ajunge până la urmă în sânge și iese din corp prin pipi, caca, transpirație și respirație.

Deși celulele tale sunt mici, ele se pot combina pentru a alcătui structuri mari. De fapt, dezasamblat, corpul tău este enorm.

- Dacă i-ai întinde și i-ai netezi, plămânii ar acoperi un teren de tenis.
- Dacă ai descâlci căile respiratorii din plămâni și le-ai înșira cap la cap, s-ar întinde de la Londra până la Moscova.
- La fel, lungimea tuturor vaselor tale sangvine (venele, arterele și tubulețele mai mici prin care circulă sângele) ar da ocol Pământului de două ori și jumătate.

ADN-UL

CE ESTE ADN-UL?

ADN-ul este manualul de instrucțiuni pentru a te crea. Aproape fiecare celulă din corpul tău are două exemplare din acest manual. Hai să facem zoom ca să vedem mai bine.

Denumirea completă a ADN-ului este acid dezoxiribonucleic. Dacă o înveți, poți să te dai mare în fața amicilor tăi!

SPIRALA DUBLĂ

ADN-ul este constituit din două lanțuri unite prin niște firișoare, alcătuind un soi de scară răsucită în spirală numită **spirală dublă**.

El se găsește în **nucleul** celulei, în unități numite **cromozomi**.

În ADN-ul tău sunt niște segmente scurte numite **gene**. Gena este un cod care îi spune celulei cum să sintetizeze o anumită **proteină**.

Majoritatea lucrurilor utile din corpul tău sunt proteine. Unele dintre ele accelerează modificările chimice utile care se petrec în interiorul tău. De altele este nevoie pentru a lupta contra invadatorilor care îți pot face rău. Iar din altele sunt alcătuite practic toate părților corpului tău, inclusiv mușchii, oasele și celulele cerebrale.

ADN-URI DIFERITE

De ce o celulă hepatică (adică a ficatului) arată foarte diferit de, să zicem, o celulă ciliată din ureche, chiar dacă au același ADN?

Pentru că nu toate genele sunt „activate" în fiecare celulă. Într-o celulă hepatică este activat alt tipar de gene decât cel dintr-o celulă ciliată. Asta înseamnă că aceste două tipuri de celule produc proteine diferite. Prin urmare, cele două celule arată diferit și au funcții diferite.

Doar foarte puține dintre genele tale influențează felul în care arăți de fapt – de exemplu, culoarea ochilor sau forma nasului.

Genele funcționale reprezintă doar aproximativ 1% din ADN-ul tău. Oamenii de știință numeau celelalte porțiuni de ADN „resturi", pentru că nu știau ce funcție au. Acum știu că o parte din aceste „resturi" de ADN activează și dezactivează gene. Aceasta este o funcție foarte importantă într-o celulă.

ADN-ul tău este diferit de al tuturor celorlalți oameni. (Dacă nu cumva ai un frate geamăn identic. Sau dacă nu cumva ai fost clonat de vreun geniu malefic.)

Și totuși, 99,9% din ADN este identic la toți oamenii. Asta ar însemna că suntem toți aproape identici. Dar ADN-ul meu și ADN-ul tău se deosebesc în trei-patru milioane de locuri. Dată fiind cantitatea masivă de ADN pe care o ai, e o cifră foarte mică, dar suficientă ca să genereze o sumedenie de diferențe între noi.

DE UNDE VINE ADN-UL?

Mai toate celulele tale au 23 de perechi de cromozomi. Unul din fiecare pereche provine de la mama ta biologică și unul de la tatăl tău biologic. ADN-ul tău este așadar o combinație a ADN-urilor părinților tăi. Dar ai și circa 100 de **mutații** genetice personale. Acestea sunt fragmente de ADN care nu prea corespund cu niciuna dintre genele transmise de părinți – îți aparțin doar ție.

Unii oameni au un număr neobișnuit de cromozomi. De exemplu, persoanele cu sindrom Down au un cromozom 21 suplimentar.

ADN-ul este extrem de stabil. Probabil că peste o mie de ani nu va mai exista nimic din ceea ce posezi tu acum – nicio haină, niciun joc și nici măcar un calculator –, dar e aproape sigur că ADN-ul tău va mai exista. Extraordinar e că oamenii de știință au reușit recent să recupereze informații genetice dintr-o fosilă umană veche de 800.000 de ani.

DE LA CONCEPȚIE LA NAȘTERE

CUM ANUME A APĂRUT MANUALUL TĂU DE INSTRUCȚIUNI NUMIT ADN?

Ca să construiești cu adevărat o ființă umană, ai nevoie de un spermatozoid de la un bărbat și de un ovul de la o femeie. Cam o dată pe lună, în anii în care o femeie este aptă de reproducere, un ovul se elimină din ovar. Acesta se deplasează prin trompa uterină.

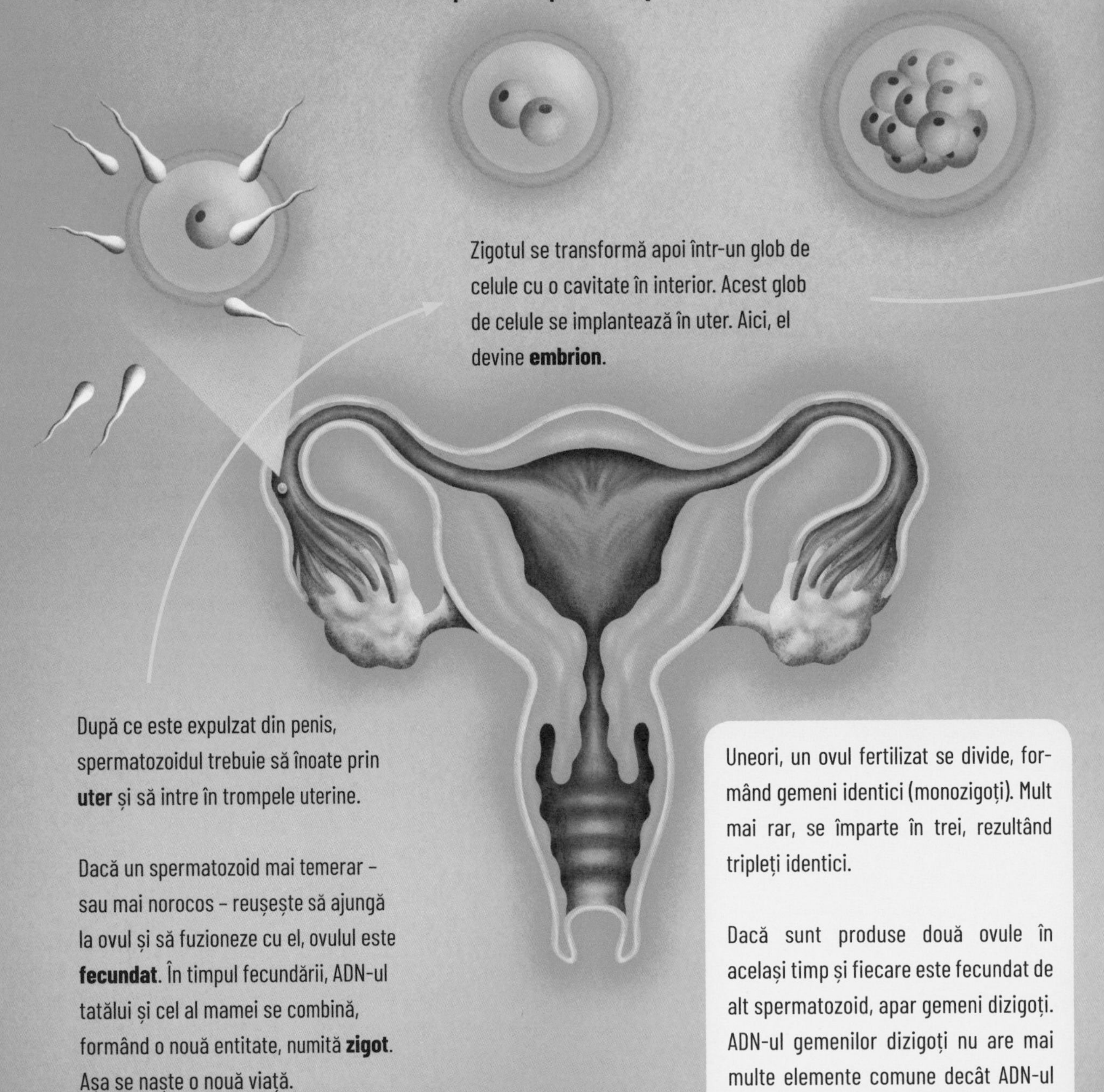

Zigotul se transformă apoi într-un glob de celule cu o cavitate în interior. Acest glob de celule se implantează în uter. Aici, el devine **embrion**.

După ce este expulzat din penis, spermatozoidul trebuie să înoate prin **uter** și să intre în trompele uterine.

Dacă un spermatozoid mai temerar – sau mai norocos – reușește să ajungă la ovul și să fuzioneze cu el, ovulul este **fecundat**. În timpul fecundării, ADN-ul tatălui și cel al mamei se combină, formând o nouă entitate, numită **zigot**. Așa se naște o nouă viață.

Uneori, un ovul fertilizat se divide, formând gemeni identici (monozigoți). Mult mai rar, se împarte în trei, rezultând tripleți identici.

Dacă sunt produse două ovule în același timp și fiecare este fecundat de alt spermatozoid, apar gemeni dizigoți. ADN-ul gemenilor dizigoți nu are mai multe elemente comune decât ADN-ul oricăror alți frați sau surori.

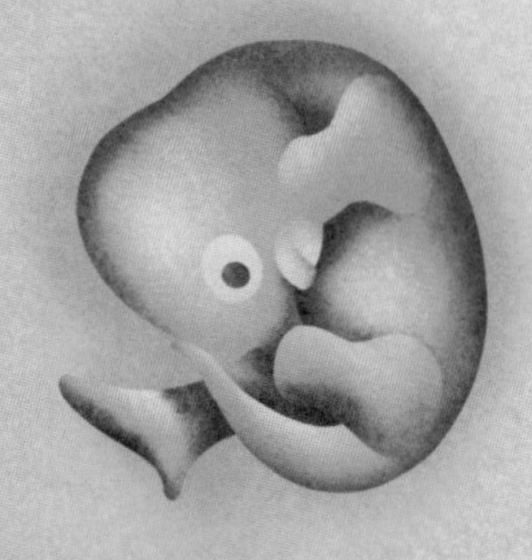

După trei săptămâni, embrionul are o inimă care bate.

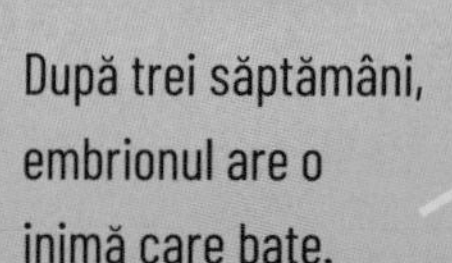

După opt săptămâni, se numește **făt** sau **fetus**.

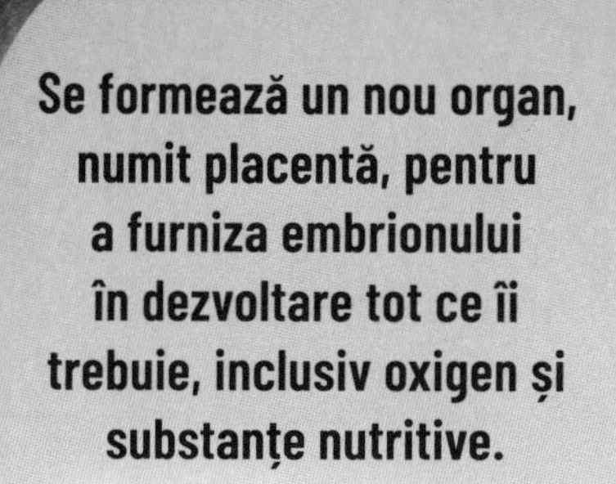

Se formează un nou organ, numit placentă, pentru a furniza embrionului în dezvoltare tot ce îi trebuie, inclusiv oxigen și substanțe nutritive.

După 102 zile, fătul are ochi care pot clipi. După 280 de zile – cam nouă luni – de sarcină, este un bebeluș format complet.

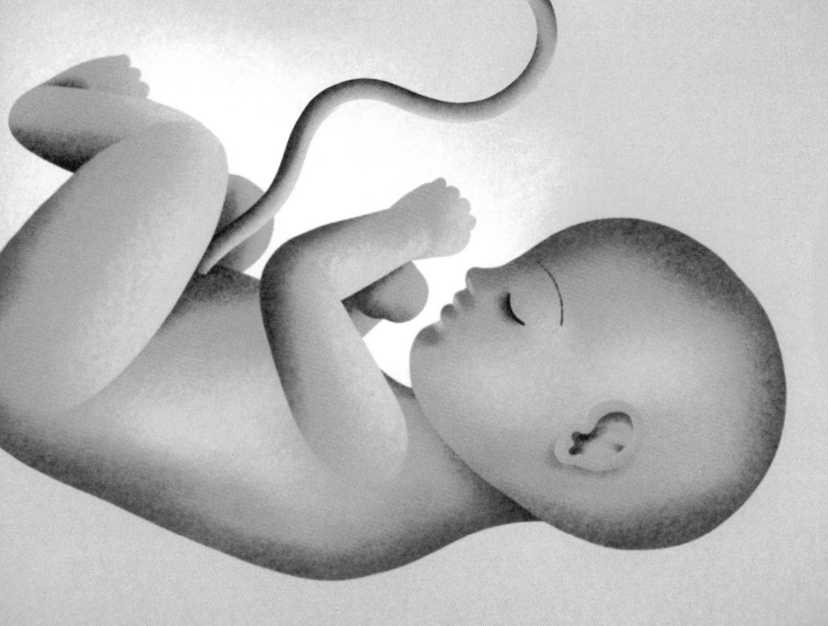

În fiecare an, se nasc cam jumătate de milion de copii ca rezultat al fertilizării in-vitro sau FIV. În FIV, ovulele și spermatozoizii sunt puse laolaltă în laborator, pentru a crea un embrion. Acest proces îi ajută pe cei care nu pot concepe un copil în mod obișnuit.

CĂUTĂM: SCHELETUL PERFECT

TREBUIE:

- Să-l împiedice pe om să se prăbușească! Trebuie să fie tare – dar și moale la nevoie, astfel încât corpul să poată să se îndoaie și să se răsucească.
- Să protejeze măruntaie moi!
- Să fie extrem de flexibil! Genunchii trebuie să rămână ficși atunci când e vorba de stat în picioare, dar ȘI să se îndoaie până la 140 de grade pentru ca omul să se așeze și să îngenuncheze.
- Să permită alergarea, țopăitul, înotul, cățăratul și săriturile într-o parte în timp ce brațele se agită ca la un robot stricat.

ȘI MAI TREBUIE:

- Să producă globule roșii, să depoziteze substanțe și să transmită sunete.

Scheletul tău face toate astea, zi de zi... și o face decenii la rând.

De obicei se spune că avem 206 oase, dar numărul real poate varia nițel de la o persoană la alta. Circa o persoană din opt are o pereche de coaste în plus, a treisprezecea, de exemplu.

Oasele nu sunt distribuite uniform în corp. Mâinile și labele picioarelor, mai hrăpărețe, conțin peste jumătate din oasele corpului. De fapt, numai labele picioarelor conțin 52 de oase – **de două ori** și ceva mai multe decât coloana. Și nici măcar nu-i neapărată nevoie să se afle toate acolo! E doar un accident al evoluției...

La greutatea lui, osul este mai puternic ca oțelul. Se rupe mai ușor ca oțelul pentru că este mai puțin dens, ceea ce înseamnă că încape mai puțină masă osoasă în același volum. Toate oasele unui adult nu cântăresc împreună mai mult de nouă kilograme, dar pot suporta o forță de compresie de până la o tonă. Asta e ca și cum o girafă mascul ar sta în picioare pe un pneu de motocicletă.

E VIU!

Deși adesea credem că oasele noastre sunt doar niște piese de schelărie inerte, ele sunt și țesut viu. Osul are o compoziție de proteine (mai ales una numită **colagen**) și substanțe minerale, în special calciu.

La fel ca mușchii, și oasele se dezvoltă când le folosim și facem exerciții fizice. Dar osul reprezintă și singurul țesut din corp care nu formează cicatrici după ce este rănit. *Plus că* osul crește la loc. Poți înlătura o bucată de os de până la 30 de centimetri (cam cât o riglă normală) dintr-un picior, iar cu ajutorul unui cadru extern și al unui anumit tip de dispozitiv de întindere, osul va crește la loc pentru a umple golul. Dar nici să nu-ți treacă prin cap să încerci așa ceva cu mușchii.

Legătura dintre două sau mai multe oase care îți permite să-ți miști o parte a corpului se numește articulație.

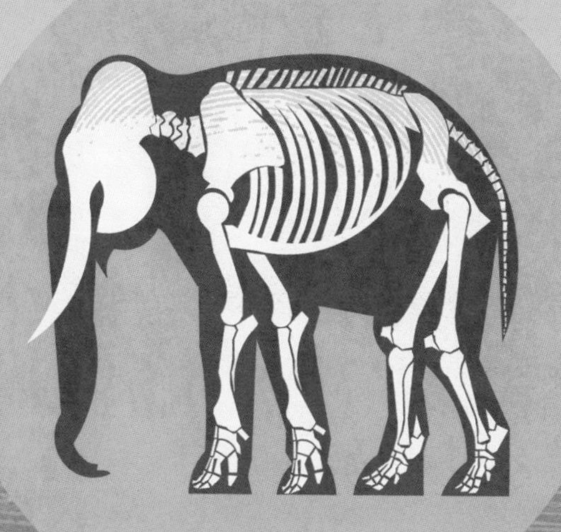

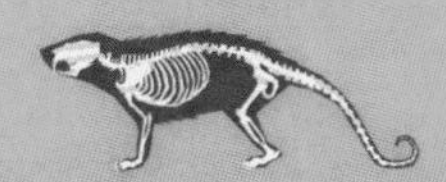

Cu cât un animal este mai mare, cu atât trebuie să fie mai masive și oasele sale. Un elefant este alcătuit în proporție de 13% din oase, în timp ce la un șoricel-de-câmp scheletul e doar 4% din corp. Pentru oameni, cifra este de 8,5%.

MUȘCHII

AVERTISMENT: Dacă ai naturelul mai simțitor, poate ar fi mai bine să stai jos când citești informațiile care urmează.

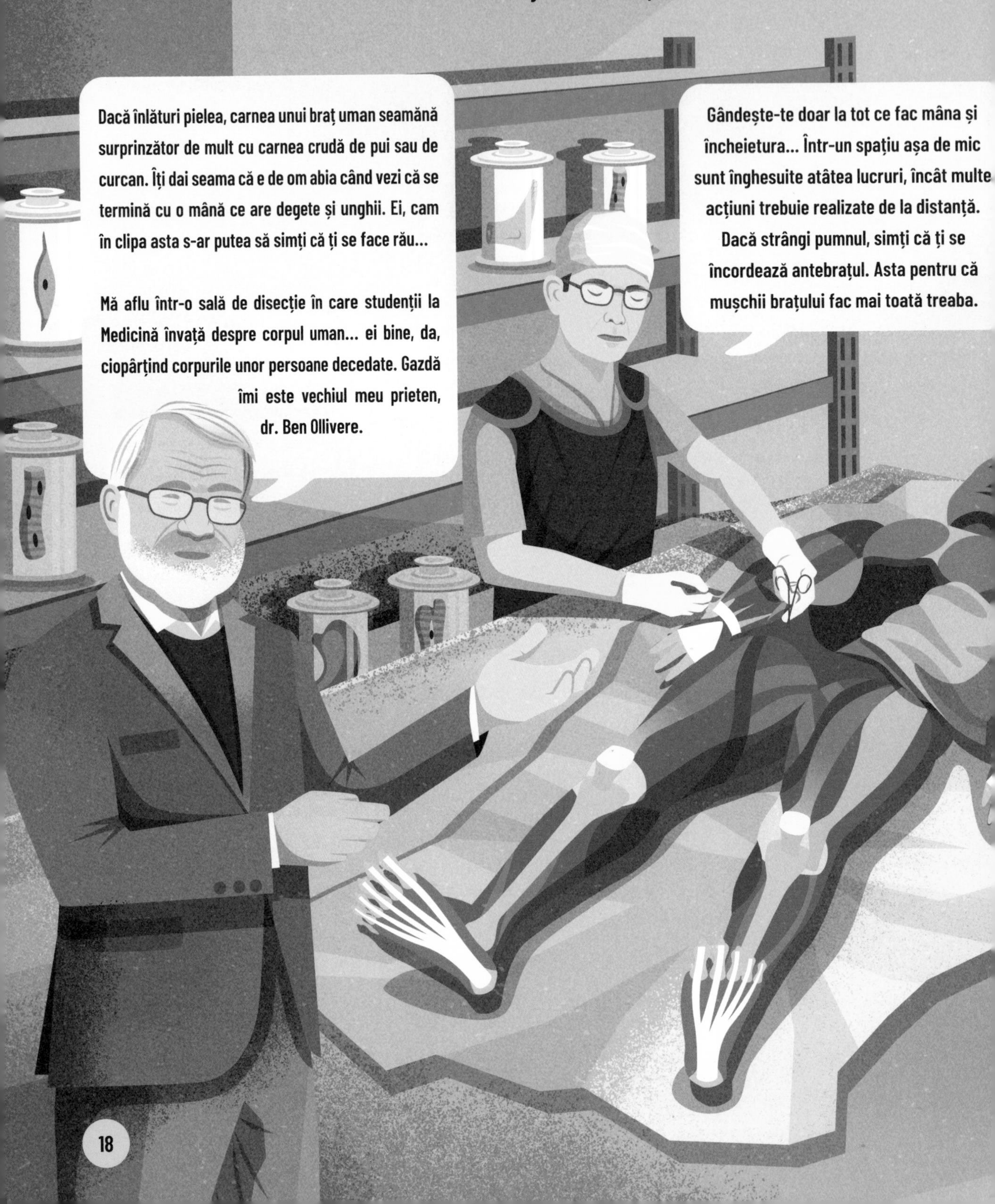

Indiferent cât ești de mare sau de mic, corpul tău este în majoritate mușchi. Ai peste 600 de mușchi, care se află pretutindeni, de la scalp până în degetele de la picioare. Ei se află tot timpul în slujba ta în o mie de moduri neapreciate:

- Amestecă alimentele în stomac ca să te ajute să le digeri.
- Îți țuguie buzele când îi dai bunicii un pupic.
- Îți mișcă plămânii ca să poți respira (da, un pic mai important decât pupăcitul bunicii!).

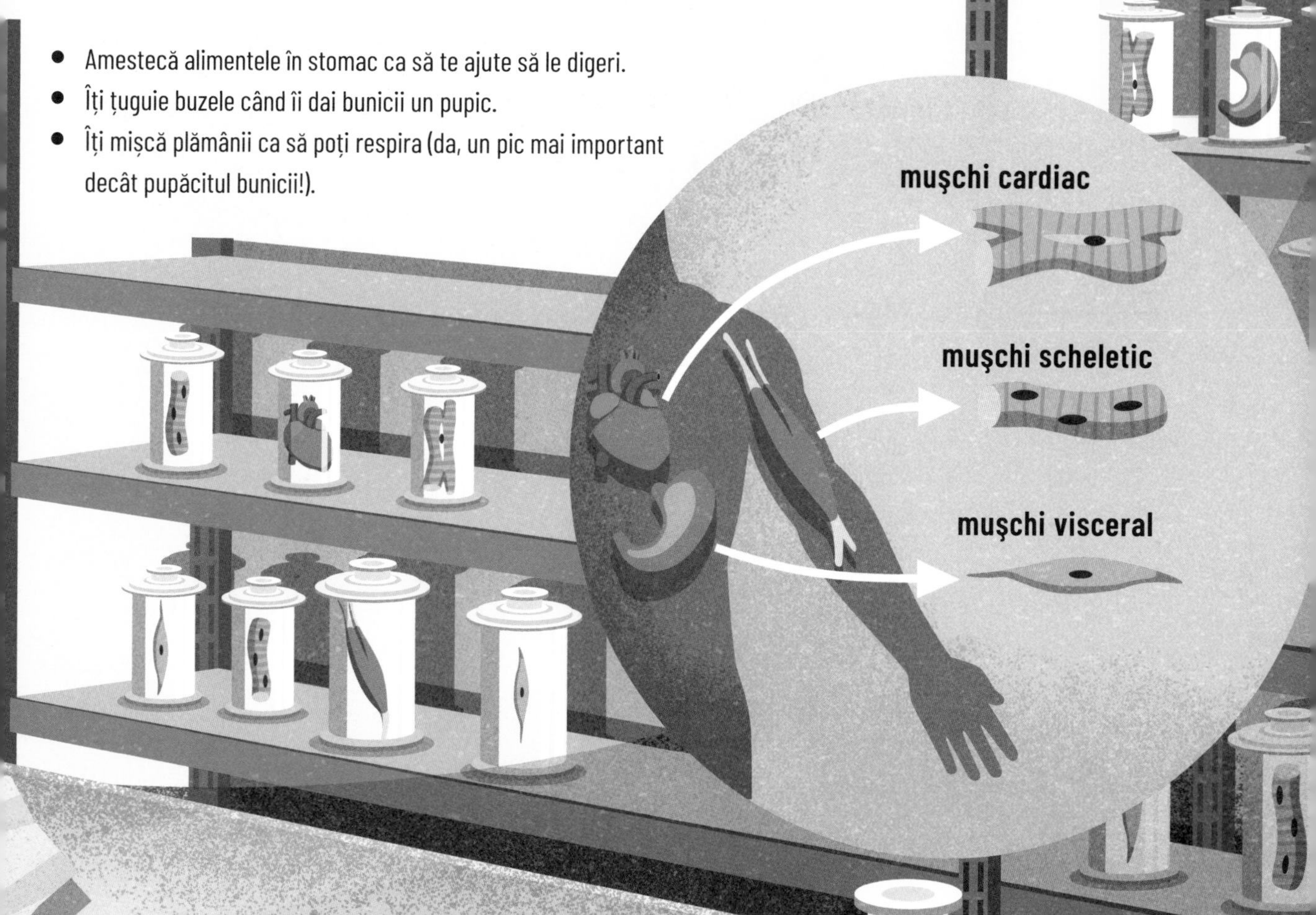

Avem trei tipuri principale de mușchi: **mușchi cardiac**, adică inima; **mușchi visceral**, care se găsește în stomac și în intestine, precum și în alte organe; și **mușchi scheletic**, printre oase.

Mușchiul scheletic este singurul tip pe care îl poți controla direct cu puterea minții. Nu-ți poți face inima să bată numai pentru că vrei tu. Dar le poți porunci brațelor și picioarelor tale să se miște.

- Este nevoie de 100 de mușchi ca să te ridici în picioare.
- Doar pentru a urmări cu privirea cuvintele pe care le citești acum ai nevoie de 12 mușchi.
- O zvâcnitură a degetului mare pe un controler de jocuri poate necesita zece mușchi diferiți.

Toți mușchii sunt formați din aceleași chestii: mii de fibre elastice strânse în mănunchiuri. Dar diferiți mușchi au diferite funcții:

Mușchii **flexori** strâng articulațiile – ca atunci când îndoi genunchii.

Sfincterele au rolul de a închide. Există unul la capătul de sus al stomacului ca să nu lase conținutul acestuia să urce înapoi. (Și da, se și deschide când vomiți.)

Mușchii **extensori** deschid articulațiile – ca atunci când întinzi brațul.

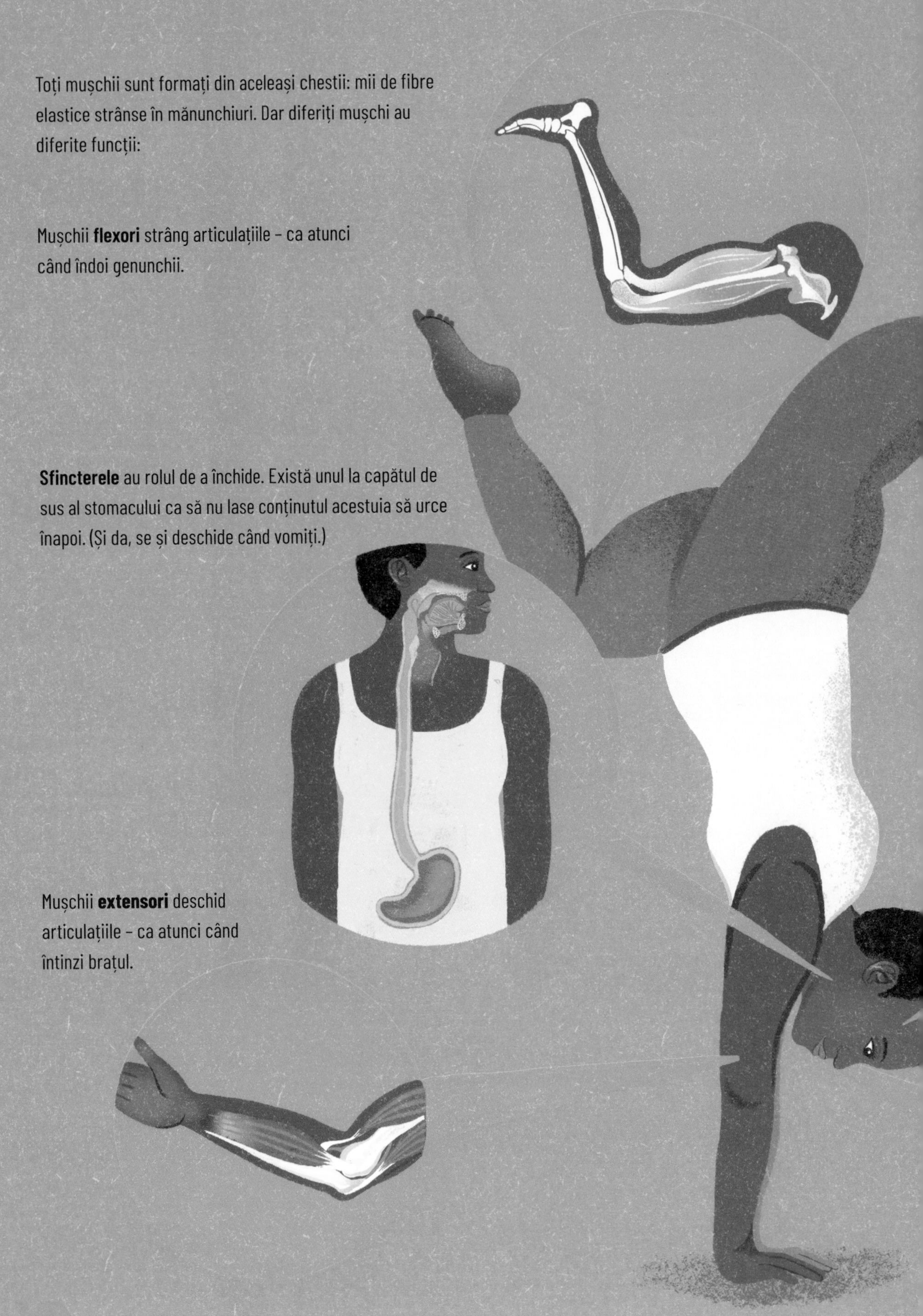

CARE CREZI CĂ SUNT CEI MAI MARI MUȘCHI DIN CORPUL TĂU?

Dacă ai răspuns mușchii fesieri, ai nimerit-o. Fesele tale sunt doi mușchi mari, cu funcțiile extrem de importante de a te ajuta să stai în picioare și să urci scări, precum și de a-ți servi drept pernuțe când stai așezat în timpul orelor la școală, care durează o veșnicie.

Ce se întâmplă când face o întindere musculară? Un mușchi întins pare înțepenit sau este dureros pentru că unele dintre fibrele sale elastice s-au rupt.

Mușchii **levatori** ridică anumite părți ale corpului – ca atunci când deschizi un ochi și pleoapa se mișcă în sus. (Ca să nu mai zic că „Levator" sună ca numele unui personaj cool de benzi desenate.)

Mușchii **depresori** coboară anumite părți ale corpului – ca atunci când te încrunți.

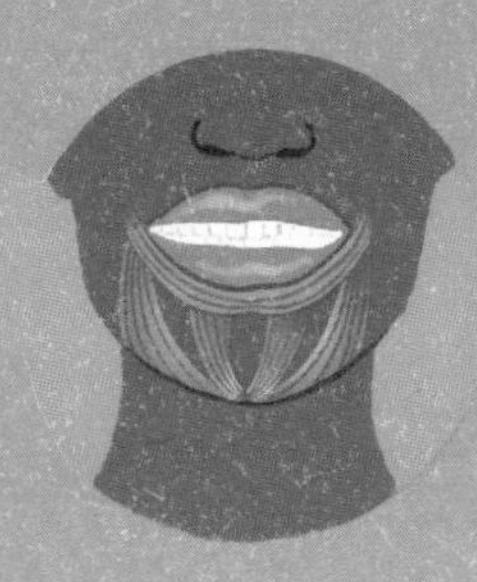

Astăzi, doctorii fac practică pe corpurile unor persoane care le-au donat de bunăvoie. Dar nu a fost mereu așa. Pe vremea reginei Victoria, studenții la Medicină foloseau cadavrele unor criminali care fuseseră executați. Pentru că astea erau prea puține, jefuitorii de morminte au început să fure cadavre din morminte proaspete ca să le vândă!

FEMURUL TĂU SE CONECTEAZĂ CU...

Oasele și mușchii sunt fără îndoială părți esențiale ale corpului tău. Dar trebuie să fie ținute cumva laolaltă. Altfel, s-ar amesteca aiurea înăuntrul pielii.

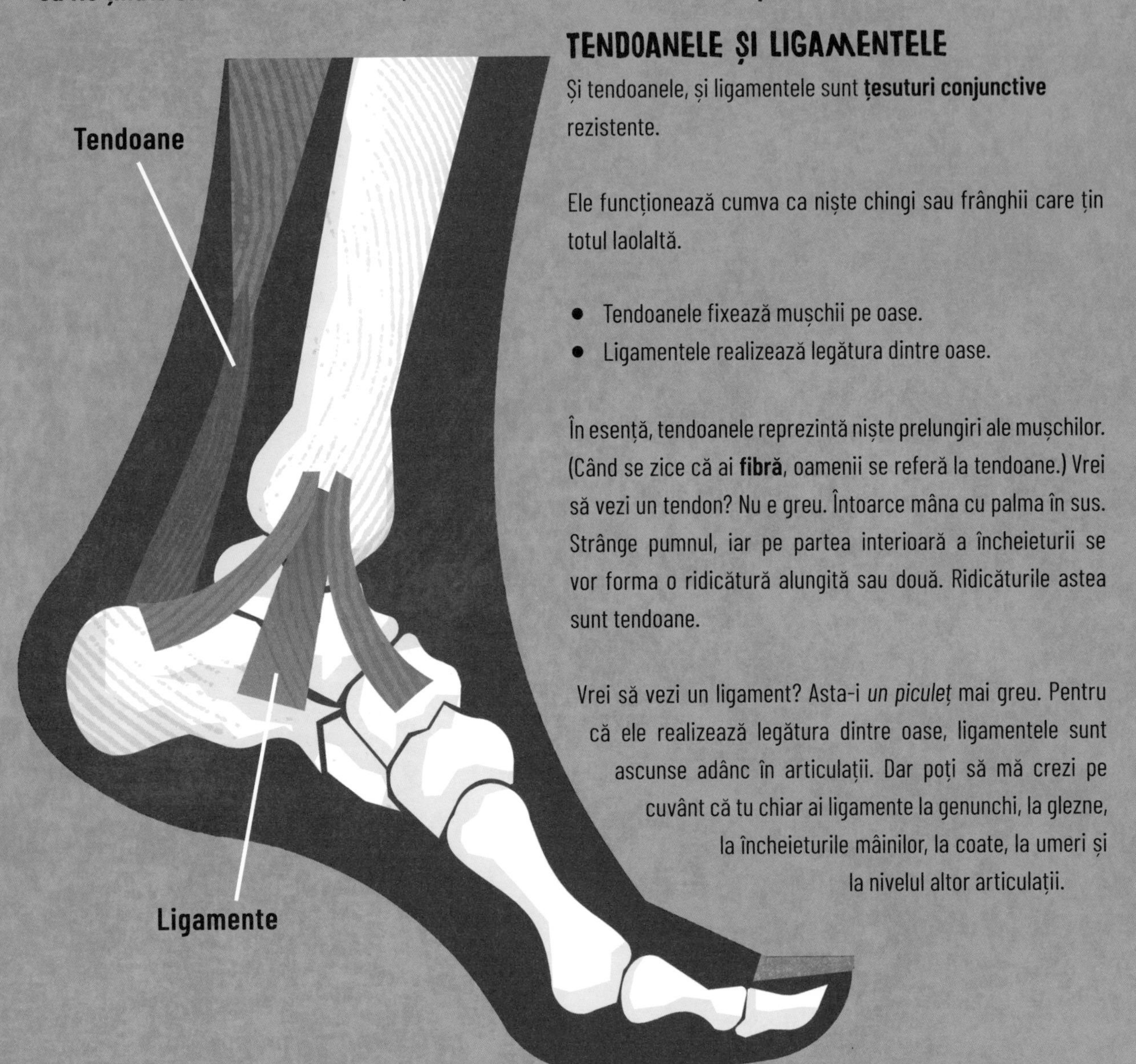

TENDOANELE ȘI LIGAMENTELE

Și tendoanele, și ligamentele sunt **țesuturi conjunctive** rezistente.

Ele funcționează cumva ca niște chingi sau frânghii care țin totul laolaltă.

- Tendoanele fixează mușchii pe oase.
- Ligamentele realizează legătura dintre oase.

În esență, tendoanele reprezintă niște prelungiri ale mușchilor. (Când se zice că ai **fibră**, oamenii se referă la tendoane.) Vrei să vezi un tendon? Nu e greu. Întoarce mâna cu palma în sus. Strânge pumnul, iar pe partea interioară a încheieturii se vor forma o ridicătură alungită sau două. Ridicăturile astea sunt tendoane.

Vrei să vezi un ligament? Asta-i *un piculeț* mai greu. Pentru că ele realizează legătura dintre oase, ligamentele sunt ascunse adânc în articulații. Dar poți să mă crezi pe cuvânt că tu chiar ai ligamente la genunchi, la glezne, la încheieturile mâinilor, la coate, la umeri și la nivelul altor articulații.

Tendoanele sunt puternice. În general, se rup doar sub acțiunea unei forțe foarte mari. Însă au o irigare cu sânge foarte redusă, ceea ce înseamnă că, dacă sunt afectate, se vindecă greu. Chiar și așa, tot au mai mult sânge decât **cartilagiile**. De fapt, cartilagiul nu este deloc irigat cu sânge, așa că vindecarea sa durează și mai mult decât în cazul tendoanelor.

CARTILAGIUL

Cartilagiul este, și el, remarcabil. Este mult mai neted decât gheața, dar, spre deosebire de gheață, nu e casant - deci nu se sfărâmă ușor. Nu crapă când îl apeși, așa cum se întâmplă cu gheața. Și crește în corpul tău. Este viu.

Cartilagiul exista cu mult înainte ca unele animale să ajungă să aibă oase. Rechinii au o origine cu milioane de ani mai veche decât noi, iar scheletul lor e format *aproape în totalitate din cartilagiu*, care este mai flexibil și mult mai ușor decât osul - dar nu la fel de puternic.

Deși scheletul tău este în majoritate osos, o parte din el e alcătuit din cartilagiu - de exemplu:

- În pavilionul urechii. Hai, pipăie-l. Chestiile alea mai tari sunt cartilagiu.
- În nas. Și vârful lui este din cartilagiu.
- În pereții traheii. Pune-ți un deget în partea din față a gâtului, chiar în mijloc, și o să-l simți.
- La capetele oaselor, în articulații.

În articulații, cartilagiul permite oaselor să alunece, în loc să se frece unul de altul (frecarea le-ar uza în scurt timp). Dacă ai putea patina pe un patinoar făcut din cartilagiu, te-ai mișca de 16 ori mai rapid decât pe gheață.

Nici cei mai grozavi oameni de știință și ingineri din lume nu au reușit să creeze un material care să se comporte precum cartilagiul.

MÂINILE ȘI LABELE PICIOARELOR

În mâini și în labele picioarelor, toate lucrurile despre care ai citit în paginile anterioare - mușchi, oase, tendoane și așa mai departe - evoluează împreună într-o splendidă coregrafie.

SĂ NE UITĂM MAI ATENT LA MÂNA TA.
În fiecare mână, ai:

- 29 de oase;
- 17 mușchi (plus încă 18 care se află de fapt în antebraț, dar controlează mâna);
- 123 de ligamente;
- două artere principale (ca să aducă sânge proaspăt de la inimă);
- trei nervi importanţi plus alţi 45 de nervi (care transmit semnale către şi de la creier).

Unul dintre nervii care ajung la mână se numește nerv ulnar. Este cel pe care-l simți când te lovești la cot. Cine a inventat expresia „mă doare-n cot" are un simț al umorului cam ciudat.

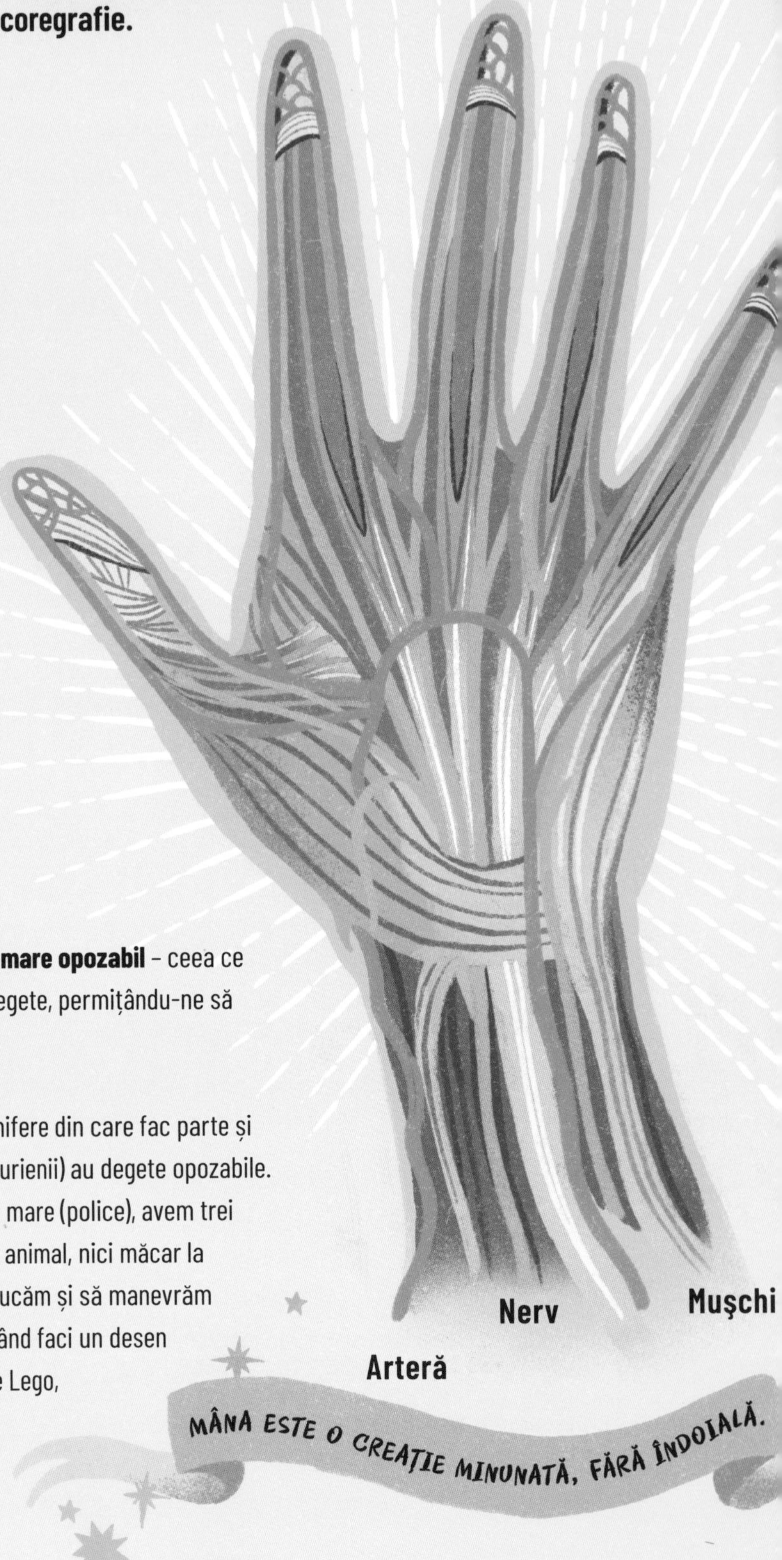

Se precizează adesea că oamenii au **degetul mare opozabil** - ceea ce înseamnă că policele poate atinge celelalte degete, permițându-ne să apucăm lucruri.

De fapt, majoritatea primatelor (ordin de mamifere din care fac parte și oamenii, dar care include și maimuțele și lemurienii) au degete opozabile. Doar că ale noastre sunt mai bune. În degetul mare (police), avem trei mușchi mici care nu se regăsesc la niciun alt animal, nici măcar la cimpanzei. Mușchiulețiii ăștia ne permit să apucăm și să manevrăm unelte cu precizie și finețe. De fiecare dată când faci un desen uimitor sau construiești ceva genial din piese Lego, acești mușchi speciali îți sunt de folos.

MERSUL ȘI ALERGAREA

În decursul vieții tale, vei face în jur de *200 de milioane* de pași. La fiecare dintre acești pași, labele picioarelor vor îndeplini trei funcții:

- amortizoare de șocuri, astfel încât corpul tău să nu fie zgâlțâit prea tare de fiecare dată când pui piciorul pe pământ;
- platforme ca să nu te duci de-a berbeleacul – și ce platforme mititele sunt, având în vedere dimensiunea restului corpului;
- organe de împingere (altfel n-ai mai merge nicăieri).

Dar noi nu doar pășim. Mai și alergăm. Iar noi, oamenii, avem hăt, la ceafă un ligament care le lipsește celorlalte maimuțe antropoide, chiar și cimpanzeilor. Acesta se numește ligament nucal și are un singur rol: să mențină capul stabil când alergăm.

E adevărat că nu suntem noi chiar cele mai rapide ființe din lume. Oamenii cei mai rapizi pot alerga cu o viteză de circa 32 de kilometri pe oră, însă doar pe distanțe scurte. Dar, deși majoritatea animalelor mari nu pot alerga mai mult de vreo 15 kilometri, noi suntem capabili să alergăm o grămadă. Dacă îl pui pe un atlet să se ia la întrecere cu o antilopă sau cu un gnu într-o zi caniculară, omul va epuiza animalul.

Tu ai opt degete? Sau zece, cu tot cu degetele mari? Nici măcar doctorii nu sunt cu toții de acord dacă policele pot fi socotite degete, așa că poți să ciupești ce coardă îți place.

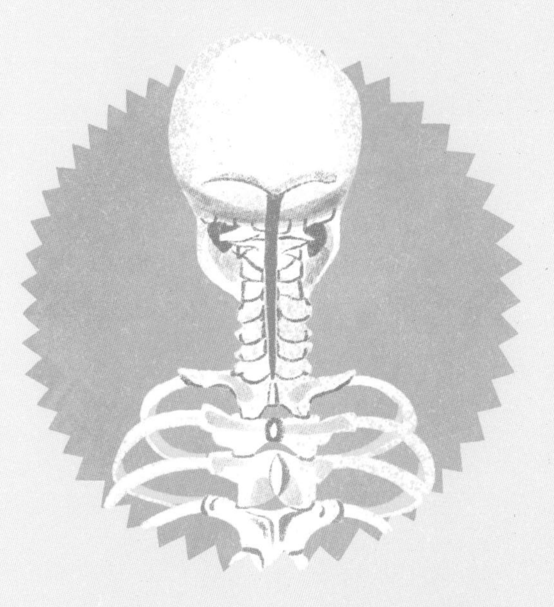

Aceste pagini sunt despre corpul tipic. Bineînțeles, corpurile multor oameni se mișcă diferit.

PĂRUL

PĂR. PĂR PESTE TOT

Ești păros. Foarte, foarte păros. Da, tu. De fapt, ești la fel de păros ca verii tăi din familia primatelor. Doar că părul uman este mult mai rar și mai discret. Mă rog, în cele mai multe locuri.

Dar nu și părul de pe cap, nu? Sunt câteva motive întemeiate pentru care am evoluat astfel încât să avem o grămadă de păr pe cap:

- Este un bun izolator pe vreme rece, ceea ce înseamnă că reduce cantitatea de căldură pe care o pierde capul, menținându-l cald.
- De asemenea, reflectă bine căldura pe timp de caniculă, astfel încât capul să nu se încingă prea tare.

PILOZITATEA

Și majoritatea celorlalte părți ale corpului tău sunt acoperite de păr, deși în acele locuri este mult mai rar și mai subțire. Ca să înțelegem care este rostul lui, trebuie să ne uităm la alte mamifere, ca șobolanii, caprele, iepurii și leii, pentru că doar mamiferele au păr.

La toate mamiferele, inclusiv la oameni, firele de păr cresc din niște mici orificii din piele numite **foliculi**. Când unui mamifer i se face frig, firele de păr se zbârlesc. Asta se numește **oripilație**. La mamiferele cu blană, precum șobolanii și iepurii, oripilația e foarte folositoare, pentru că firele de păr zbârlite creează un strat de aer între păr și piele, care menține animalul cald. La oameni, asta se numește „a ți se face pielea de găină" – și nu are absolut niciun avantaj.

FOARTE, FOARTE FIOROS

De asemenea, părul zbârlit prin oripilație poate face animalul să pară mai mare. Asta e de folos dacă alt animal vrea să-l atace ori să-l mănânce, deoarece mai mare înseamnă mai feroce. Pentru că și oamenii sunt mamifere, ni se face și nouă pielea de găină când suntem speriați sau stresați. Dar, din cauză că nu stăm prea bine la capitolul păr, în comparație cu alte mamifere, pe noi nici asta nu prea ne ajută.

CICLURILE DE CREȘTERE

Fiecare fir de păr de pe corpul tău are un ciclu de creștere, cu o fază de creștere și una de repaus. Totuși, după o vreme, firul de păr moare și cade.

- Părul de pe picioare durează cam două luni.
- Părul de la subraț durează în jur de șase luni.
- Părul de pe scalp poate persista chiar și șase ori șapte ani.

Părul crește cu circa o treime de milimetru pe zi. Având în vedere că toate firele de păr cad la un moment dat, nicio șuviță nu poate ajunge la o lungime mai mare de aproximativ un metru.

PIELEA

Știai că ești acoperit cu solzi? De fapt, sunt niște lamele epidermice, dar denumirea corectă este scuame, care înseamnă „solzi", și arată ca praful. Un adult lasă în urma sa circa o jumătate de kilogram de scuame pe an. Da, mai tot praful pe care îl vezi prin casă e piele de om!

Dar nu vreau să te fac să crezi că pielea ta nu face nici două parale. Pentru că e o chestie remarcabilă. Pielea este de fapt cel mai mare organ al tău. Și are tot soiul de funcții. E ca un sac pentru măruntaie, ținând ceea ce e bun (ca sângele) în interior și ceea ce e rău (ca murdăria) în exterior. Îți menține temperatura potrivită. Și sintetizează vitamine.

Deși pielea se mai julește sau se mai zgârie, ea funcționează în continuare – cum se întâmplă și în cazul inimii sau rinichiului. Închipuie-ți cum ar fi să-ți intre pielea în pană. Mușchii tăi ar da brusc pe dinafară. Sângele ți s-ar prelinge din corp.

Pielea ta are un strat interior, numit dermă, și un strat exterior, numit epidermă. Suprafața epidermei – partea pe care o poți vedea – este alcătuită în întregime din celule moarte. Acestea sunt „solzii" care cad de pe tine în timp ce tu îți vezi de treburile tale.

RĂCOREȘTE-TE

Pielea ta te răcorește când te încingi, lăsându-te să transpiri. Transpirația conține 99,5% apă. Când aceasta se evaporă, transformându-se din lichid în gaz, disipează căldura din piele.

Transpirația este secretată de niște mici organe din piele numite **glande sudoripare**. Apoi se elimină printr-un canal, ieșind printr-un mic orificiu (numit **por**) de pe suprafața pielii.

Transpirația în sine nu miroase. Mirosul apare când bacteriile care trăiesc pe piele mănâncă transpirația, producând niște substanțe chimice mirositoare (un soi de pârțuri bacteriene), acesta fiind motivul pentru care mirosul de picioare transpirate poate semăna mult cu cel de brânză...

PLIN DE GĂURI

Nimeni nu știe exact câte orificii conține pielea ta, dar sunt o mulțime. Ai vreo două milioane de foliculi piloși și cam de două ori mai mulți pori pentru eliminarea transpirației.

Foliculii piloși fac de fapt o grămadă de treabă. Pe lângă faptul că produc fire de păr, secretă și o substanță grasă numită **sebum**. Aceasta se combină cu transpirația ca să-ți mențină pielea frumoasă și catifelată, dar și impermeabilă. Uneori, foliculii se înfundă însă cu mici dopuri de piele moartă și sebum uscat, formând niște chestii numite **puncte negre**. Dacă un folicul înfundat se mai și infectează cu bacterii, el se înroșește și se inflamează și așa te procopsești cu un **coș**.

FABRICA DE VITAMINE

De parcă nu e mulțumită că face toate astea, pielea ta sintetizează și vitamina D. Această vitamină este esențială pentru noi. Contribuie la formarea unor oase și dinți puternici și stimulează sistemul imunitar. Când pielea ta este expusă la lumina solară care conține destulă **radiație ultravioletă** (ceea ce se întâmplă de obicei doar de la sfârșitul primăverii până la începutul toamnei), ea începe automat să sintetizeze vitamina D.

O POVESTE POLIȚISTĂ DE SENZAȚIE

În octombrie 1902, poliția a fost chemată la un apartament dintr-o zonă prosperă a Parisului, în Franța. Un om fusese ucis și se furaseră niște opere de artă. Criminalul nu lăsase niciun fel de indicii vizibile. Din fericire, polițiștii au putut să apeleze la cineva care se pricepea de minune să găsească criminali - un om pe nume Alphonse Bertillon.

Bertillon a venit să cerceteze locul crimei. Pe tocul unei ferestre, a descoperit o amprentă, una singură. Ulterior, când s-a dovedit că amprenta se potrivea cu una pe care Bertillon i-o luase unui criminal pe nume Henri-Léon Scheffer, polițiștii și-au dat seama că el era făptașul. Și așa s-a născut tehnica amprentării, care a făcut senzație în lumea întreagă.

De fapt Bertillon nu a fost primul care și-a dat seama că fiecare ființă umană are amprente digitale ce diferă de ale oricui altcuiva (altfel spus, că fiecare om are o amprentă unică, doar a sa). Un om de știință ceh pe nume Jan Purkyně descoperise asta cu decenii înainte. Și, în realitate, chinezii făcuseră aceeași descoperire cu peste o mie de ani în urmă. Bertillon nici măcar nu a fost primul care s-a folosit de o amprentă digitală ca să prindă un criminal - asta se întâmplase în Argentina cu zece ani mai devreme. Dar Bertillon e cel căruia i se atribuie în general meritul!

ÎNTREBĂRI FĂRĂ RĂSPUNS

Știm deci de mult că amprentele noastre sunt foarte speciale. Dar încă există multe întrebări fără răspuns legate de ele.

Din ce motiv ne-au apărut vârtejuri de spire pe buricele degetelor?

NU PREA ȘTIE NIMENI. DAR IATĂ CÂTEVA TEORII:

- Ne ajută să apucăm lucruri (însă nimeni nu a dovedit efectiv acest lucru).
- Permit o mai bună scurgere a apei de pe vârfurile degetelor (o simplă presupunere).
- Cresc elasticitatea degetelor (altă presupunere).

Și de ce se încrețesc când facem baie?

NICI ASTA NU PREA ȘTIE NIMENI.

Dar, deși amprentele digitale ale fiecăruia dintre noi sunt unice (sau cel puțin așa se pare), de fapt acest lucru este valabil și pentru diverse alte părți ale corpului. Unele sisteme de securitate folosesc tiparele și culorile specifice irisului (porțiunea colorată a ochiului) unei persoane pentru a deschide o ușă, în loc de o cheie obișnuită. Altele folosesc „amprente auriculare" – scanări 3D ale pavilionului urechii – deoarece se consideră că și acestea sunt unice. Amprentele digitale sunt mai cunoscute ca modalitate de a-i prinde pe autorii unor infracțiuni pentru simplul motiv că există o probabilitate mai mare ca aceștia să lase urme de degete pe suprafețe când comit o infracțiune. Dar poliția se mai folosește uneori și de amprentele auriculare.

PIPĂITUL

Poate că pielea ta mai face ea și niște chestii ciudate, și nu neapărat necesare (cum ar fi să producă amprente), dar nu ar trebui să fim prea aspri cu ea. Pentru că este un organ multifuncțional uluitor. De parcă n-ar fi de ajuns că este barieră, sistem de răcire și fabrică de vitamine, mai conține și un mare număr de receptori tactili.

Un receptor tactil reacționează la atingere. Dar mai avem în corp multe alte tipuri de receptori. Toți sunt celule care au anumite funcții senzoriale. De exemplu, receptorii olfactivi din nasul tău detectează substanțe mirositoare; receptorii din ochi sunt activați de lumină; receptorii durerii (nociceptorii) din piele reacționează la răni. Toți acești receptori transmit semnale către creier prin intermediul nervilor. Creierul tău poate apoi să folosească aceste semnale ca să-și dea seama ce se petrece în lumea ta - și cum să reacționeze.

Corpusculii Ruffini reacționează când pielea este ușor întinsă - așa cum se întâmplă, de exemplu, când strângi ceva în mână.

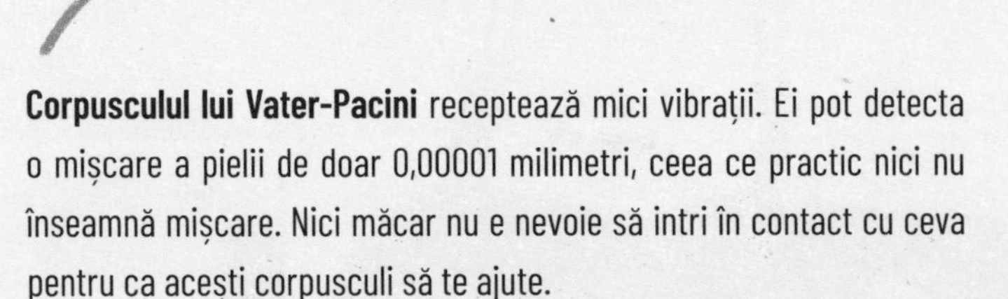

Corpusculul lui Vater-Pacini receptează mici vibrații. Ei pot detecta o mișcare a pielii de doar 0,00001 milimetri, ceea ce practic nici nu înseamnă mișcare. Nici măcar nu e nevoie să intri în contact cu ceva pentru ca acești corpusculi să te ajute.

Celulele Merkel (sau **discurile Merkel**, cum li se mai spune uneori) se găsesc și în pielea cu păr, și în cea fără păr. Ele reacționează la atingeri ușoare.

Pielea cu peri mai conține un tip de receptor tactil – perii înșiși! Când un fir de păr se îndoaie – poate de la o adiere sau din cauza unui păianjen care umblă pe tine –, terminațiile nervoase de la baza firului de păr sunt stimulate și îți informează imediat creierul că le tulbură ceva.

Vârfurile degetelor (precum și alte părți ale corpului pe care nu crește păr) sunt ticsite de **corpusculii lui Meissner**. Dacă ai închide ochii și ai mângâia extrem de ușor ceva de plastic, ceva de ciment și ceva de mătase, acești receptori ți-ar spune care ce e.

COLCĂIND DE VIAȚĂ

Îți amintești că ți-am spus că ești acoperit cu solzi de piele moartă? Ei bine, stratul ăsta mort e plin de bacterii...

Pe fiecare centimetru pătrat din pielea ta se află circa 100.000 de bacterii. Nu sunt însă toate la fel. Oamenii de știință estimează că majoritatea oamenilor au aproximativ 200 de specii de bacterii pe piele, însă cele 200 ale tale sunt probabil foarte diferite de ale mele.

Așa cum tu ai locurile tale favorite pe unde îți place să umbli, la fel au și bacteriile astea. Buricul tău umed, cald și plin de pliuri este pentru ele ca un parc de distracții. Așa se explică de ce o echipă de cercetători a realizat un proiect cu un nume genial...

PROIECTUL „BIODIVERSITATEA BURICULUI"

60 de americani aleși la întâmplare s-au lăsat căutați de bacterii în buric. Rezultatele?

- Echipa a descoperit în total 2.368 de specii de bacterii, dintre care 1.458 nu erau cunoscute.
- Numărul de specii prezente în buricul unei persoane varia între 29 și 107. Un voluntar avea chiar și un microb care nu mai fusese observat până atunci decât în Japonia – unde respectivul nu fusese niciodată.

Date fiind aceste informații, spălarea conștiincioasă a buricului data viitoare când faci baie ar putea să pară o idee bună. Dar ia stai așa nițel. Conform unui studiu, numărul de bacterii de pe corpul tău chiar crește după ce faci baie sau duș, pentru că sunt scoase la lumină din toate cotloanele.

Spălatul temeinic pe mâini (cu apă și săpun timp de cel puțin un minut) este totuși util. Te scapă de orice bacterii dăunătoare care s-ar putea găsi pe mâini și care altfel ar ajunge în corpul tău. Asta s-ar putea întâmpla când mănânci un măr. Sau când te scobești în nas (dar eu știu că ție nici nu ți-ar trece prin cap să faci așa ceva...).

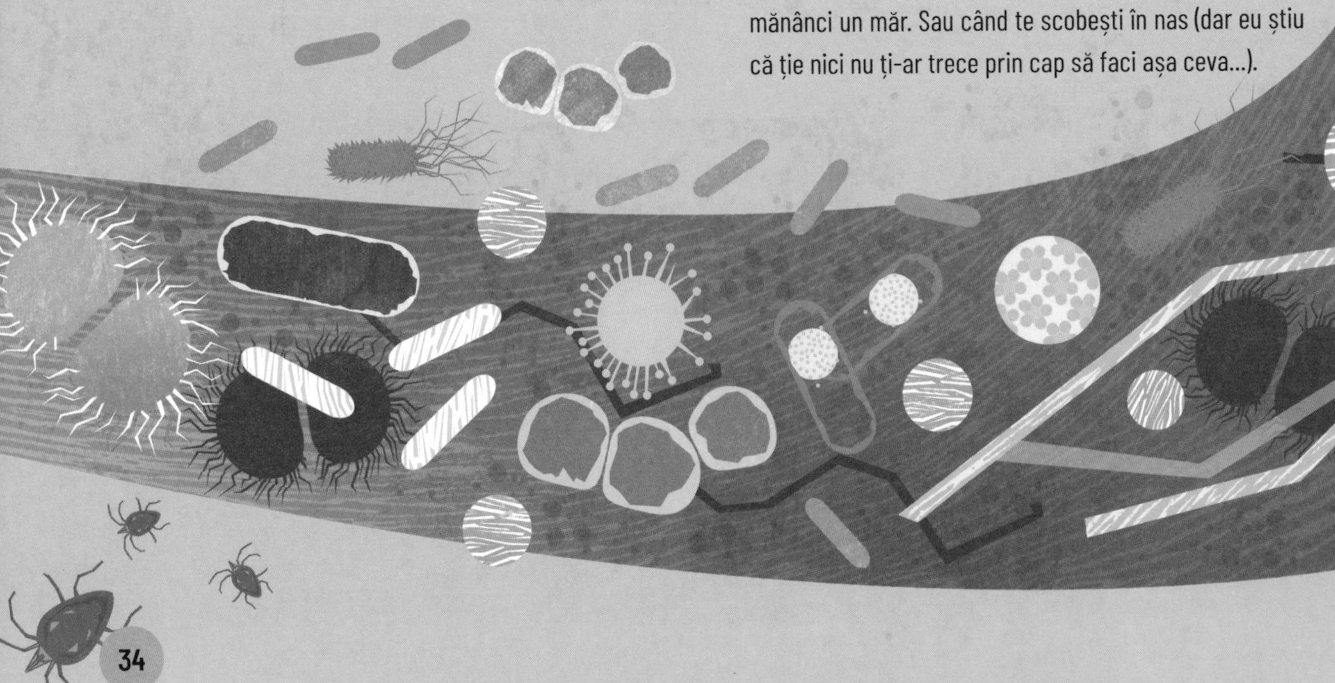

CA UN CASTRON GIGANTIC CU FULGI DE PORUMB CROCANȚI...

Bacteriile nu sunt singurele viețăți care locuiesc pe pielea ta. Chiar în acest moment, pe capul tău (și pe alte suprafețe uleioase, dar mai ales pe cap) pasc niște mici **acarieni**. Din fericire, în general sunt inofensivi și invizibili. Dar se îndoapă cu pielea ta moartă. Pentru ei, aceste cojițe solzoase sunt ca un castron gigantic cu fulgi de porumb crocanți. Dacă închizi ochii și dai frâu liber imaginației, mai că-i auzi ronțăind...

SIMȚI CĂ TE MĂNÂNCĂ?

Ce nu fac însă de obicei acarienii ăștia e să-ți provoace mâncărimi. Oamenii de știință nu înțeleg încă prea bine mâncărimile. Unele cauze sunt logice - cum ar fi când te urzici sau când te pișcă un țânțar. Însă, chiar în timp ce citești asta, s-ar putea să simți nevoia să te scarpini în diferite locuri care nu te mâncau deloc acum o clipă, pur și simplu fiindcă am vorbit despre asta. Știm că se întâmplă asta. Dar nimeni nu poate explica de ce.

Uneori, mâncărimea nu dispare oricât te-ai scărpina. Poate cel mai neobișnuit caz a fost cel al pacientei „M". După o boală, M s-a ales cu o mâncărime pe frunte și pur și simplu nu se putea abține să se scarpine. Cel mai tare se scărpina în timpul somnului. Mai întâi, și-a îndepărtat complet pielea de pe această porțiune de scalp. În cele din urmă, într-o dimineață, când s-a trezit, a descoperit că se scărpinase cu atâta putere, încât trecuse de oasele craniului, ajungând la creier.

VIAȚA DINĂUNTRUL TĂU

Dacă te-ai îngrețoșat puțin la gândul că pe tine trăiesc bacterii, ei bine, trebuie să-ți spun că ele trăiesc și *înăuntrul* tău. Trilioane și trilioane de bacterii, cântărind în total cam cât *creierul* tău. Dar nu intra în panică. Fără multe dintre bacteriile astea ai muri.

Iată vreo două exemple de moduri în care te ajută bacteriile:

- O farfurie sănătoasă cu pește și legume la cină n-ar mai fi la fel de sănătoasă dacă bacteriile care trăiesc în intestinul tău nu ar transforma această mâncare în lucruri ca vitaminele B și vitamina K.
- Un parc minunat de plin de noroi n-ar mai fi tocmai minunat dacă bacteriile dăunătoare ce ajung în corpul tău nu ar fi ținute sub control de bacteriile „bune" care trăiesc în interiorul tău.

Pământul e plin de microbi. Oficial ei se numesc **microorganisme** și sunt sisteme vii atât de mici, că-ți trebuie un microscop ca să le vezi. Din acest grup fac parte și virusurile și fungii (despre care vom vorbi mai încolo).

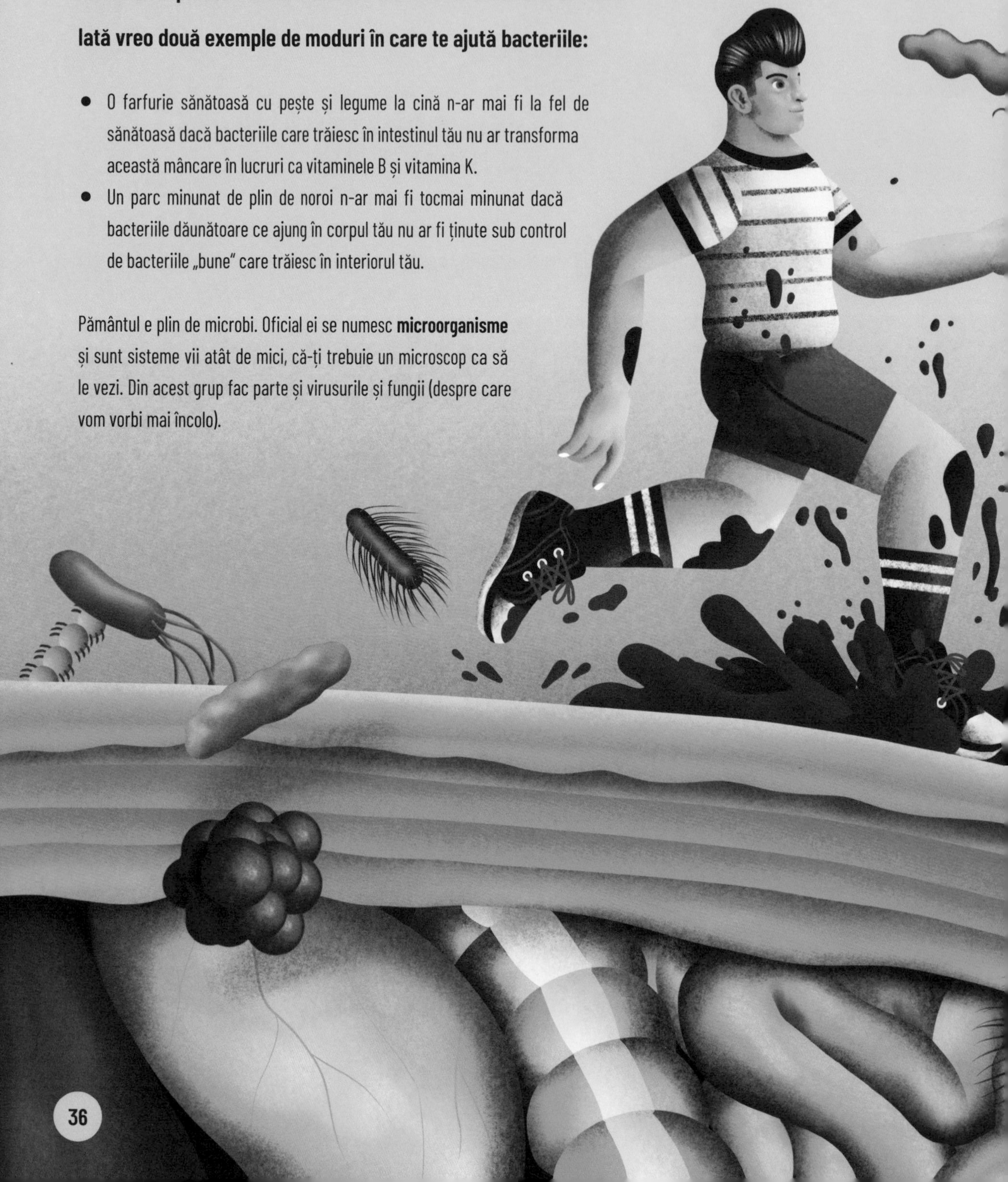

Dacă ai aduna toți microbii de pe Pământ într-o grămadă și toate celelalte forme de viață animală în alta, grămada de microbi ar fi de 25 de ori mai mare decât cealaltă. Încă nu cunoaștem o mulțime de lucruri despre microbii care trăiesc în noi. Dar pot să-ți spun că în corpul tău trăiesc cam 40.000 de specii de microbi:

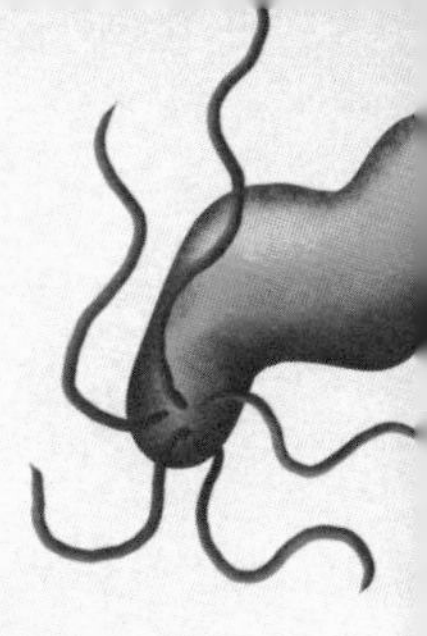

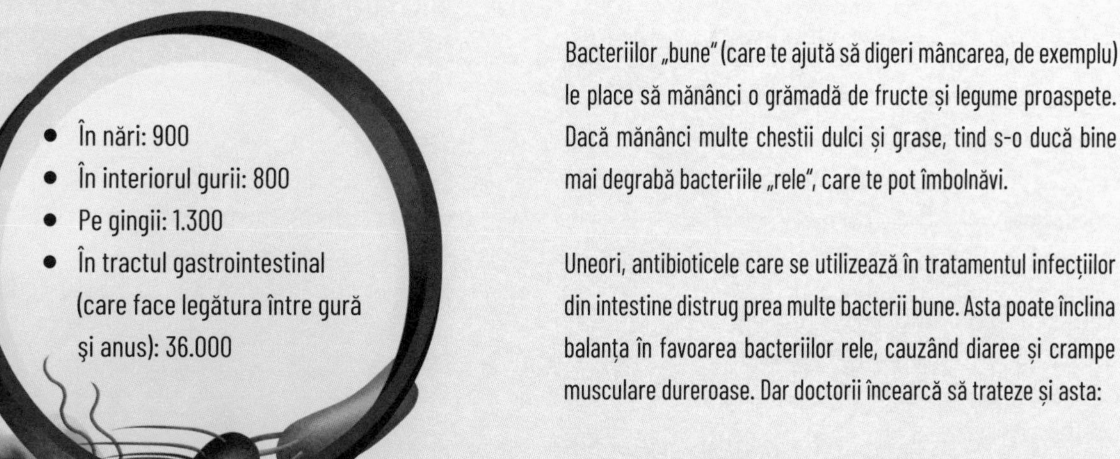

- În nări: 900
- În interiorul gurii: 800
- Pe gingii: 1.300
- În tractul gastrointestinal (care face legătura între gură și anus): 36.000

Bacteriilor „bune" (care te ajută să digeri mâncarea, de exemplu) le place să mănânci o grămadă de fructe și legume proaspete. Dacă mănânci multe chestii dulci și grase, tind s-o ducă bine mai degrabă bacteriile „rele", care te pot îmbolnăvi.

Uneori, antibioticele care se utilizează în tratamentul infecțiilor din intestine distrug prea multe bacterii bune. Asta poate înclina balanța în favoarea bacteriilor rele, cauzând diaree și crampe musculare dureroase. Dar doctorii încearcă să trateze și asta:

- Iau o mostră de excremente conținând multe bacterii bune de la o persoană sănătoasă (care este de acord s-o doneze!).
- Folosind un tubuleț flexibil, introduc acea mostră de caca prin rectul pacientului, în intestinul gros. Bacteriile bune se instalează în noua lor casă... și echilibrul este restabilit. (Ca și în sala de disecție, s-ar putea să te simți și acum olecuță îngrețoșat!)

Până la vârsta de 1 an, bebelușul acumulează cam o sută de trilioane de microbi.

CREIERUL

Și dacă ai străbate fiecare centimetru din spațiul cosmic, este foarte posibil să nu găsești nicăieri ceva așa de minunat și de complex precum creierul tău.

Pentru un obiect în stare de atâtea minunății, nu arată tocmai impresionant:

- Cântărește cam 1,5 kilograme și e spongios.
- Este 75-80% apă, restul fiind în principal grăsime și proteine.
- Pare să nu facă nimic – nu pulsează, nu strălucește, nu se unduiește, nu gâlgâie, nu dă niciun alt semn că ar face mare lucru.

Și totuși...

Creierul tău creează întreaga ta lume uimitoare – *tot* ceea ce percepi, ce simți și ce cunoști. Chiar și atunci când stai liniștit și nu faci absolut nimic, creierul tău procesează în 30 de secunde mai multe informații decât a reușit să proceseze uriașul telescop spațial Hubble în 30 de ani!

O bucățică din creierul tău cât un grăunte de nisip poate stoca peste 2.000 de terabyți de informații. Asta înseamnă cât toate filmele făcute vreodată (cu tot cu trailere, cu scenele de după genericul de final și cu scenele de după scenele de după generic).

Creierul uman poate conține, în total, circa 200 de *exabyți* de informații. Cam cât toate datele digitale care există în lume astăzi. Ei, dacă creierul nu este cel mai extraordinar lucru din univers, atunci nu știu care e.

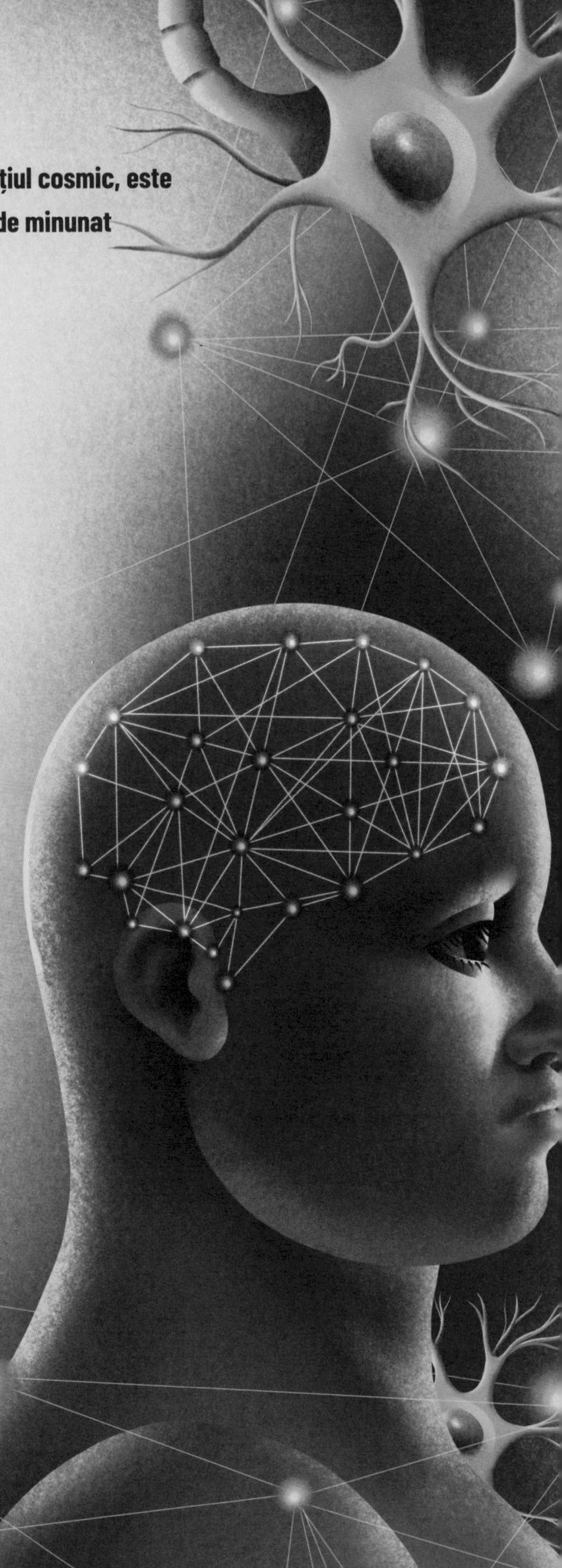

Creierul tău este și incredibil de eficient. Are nevoie de numai vreo 400 de calorii de energie pe zi – cam cât e conținutul caloric al unei brioșe cu afine. Ia încearcă tu să-ți alimentezi consola de jocuri timp de 24 de ore cu o brioșă și vezi dacă merge. Spre deosebire de restul corpului tău, creierul arde aceste 400 de calorii într-un ritm constant, indiferent ce faci – fie că te chinui cu o temă grea la matematică, fie că doar te uiți la televizor.

Și totuși, deși are o putere incredibilă, creierul nu are nimic care să fie specific doar omului. Componentele creierului tău sunt în esență aceleași ca ale creierului unui câine sau chiar al unui hamster.

Hai să ne uităm puțin la componentele creierului tău...

Neuronii nu se găsesc doar în creier, ci sunt elementele de bază ale întregului sistem nervos. Creierul tău se folosește de restul sistemului nervos ca să transmită instrucțiuni altor părți ale corpului pentru ca acestea să facă anumite lucruri și ca să primească mesaje de la ele. Comanda „Mână, du biscuit la gură" n-ar funcționa fără neuronii din afara creierului. Iar fără semnalele corpului care se întorc la creier, acesta n-ar ști dacă ai reușit să muști din biscuitul ăla... sau dacă l-ai scăpat pe jos.

- **Neuroni.** Spre deosebire de majoritatea celorlalte celule, care sunt sferice și compacte, aceste celule cerebrale sunt filamentoase și lungi. Gândește-te la un copac cu ramuri și rădăcini. Într-un neuron:

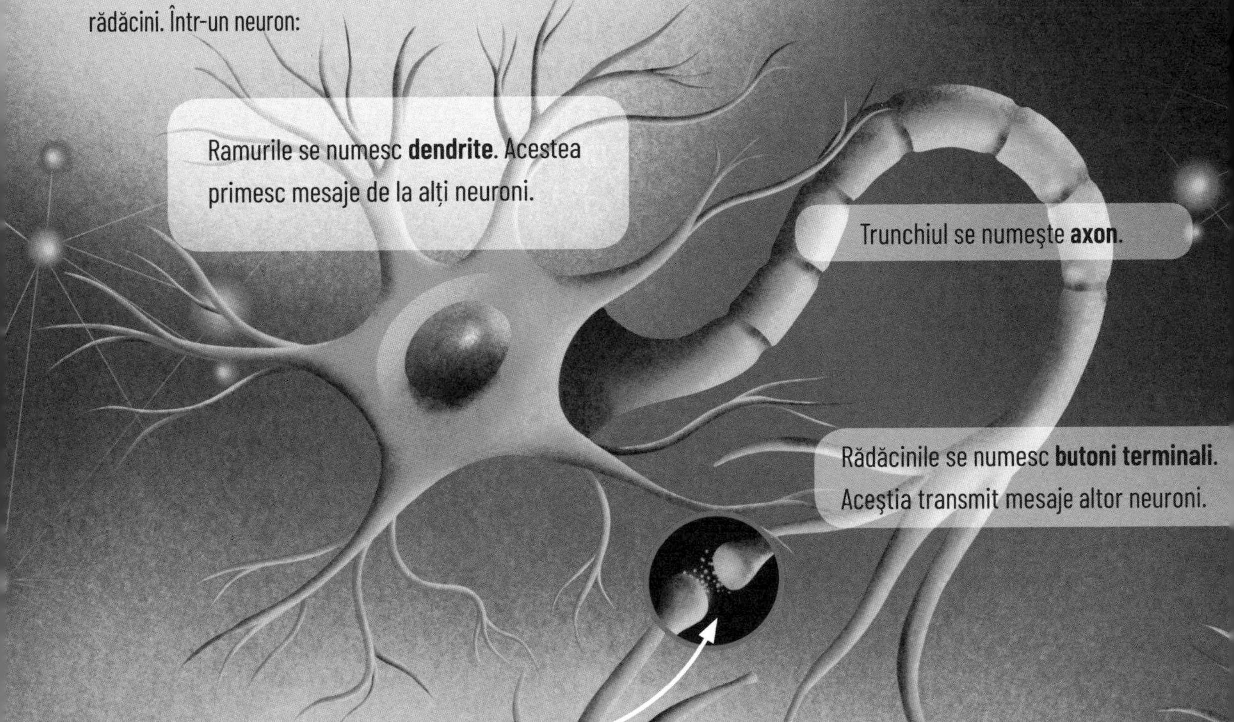

Ramurile se numesc **dendrite**. Acestea primesc mesaje de la alți neuroni.

Trunchiul se numește **axon**.

Rădăcinile se numesc **butoni terminali**. Aceștia transmit mesaje altor neuroni.

- Neuronii și punctele de contact dintre ei (care se numesc **sinapse**) formează **substanța cenușie** (materia cenușie) a creierului. (De fapt, e rozalie, dar i se spune „cenușie" de atâta timp, că e tardiv acum să-i mai schimbăm numele în substanță roz.)

Substanța albă (sau materia albă) este formată din fibrele care conectează diferite regiuni ale creierului și le permit să vorbească una cu alta.

PĂRȚILE CREIERULUI

O fi arătând creierul tău ca un guguloi de tofu încrețit, dar, din fericire pentru tine, e olecuță mai complex de-atât.

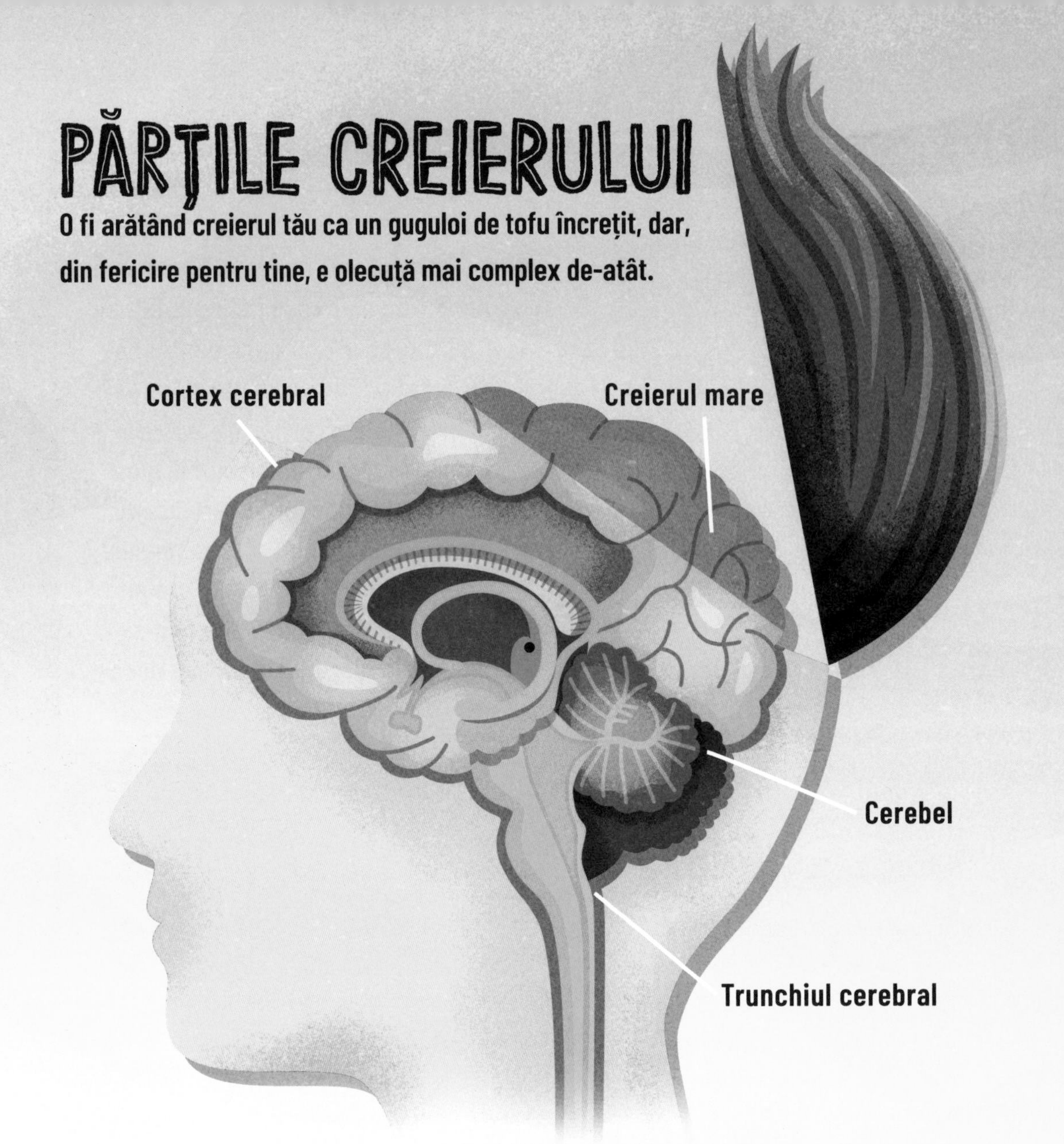

Creierul mare este partea mare la care ne gândim când vizualizăm „creierul". El are două părți, emisfera stângă și emisfera dreaptă. Conexiunile sunt încrucișate, așa că de fapt emisfera stângă controlează partea dreaptă a corpului, iar cea dreaptă controlează partea stângă.

Pătura încrețită de patru milimetri grosime situată la suprafața creierului mare se numește **cortex cerebral**. Toată treaba mai complicată a creierului – ceea ce numim „procese superioare": gândire, vedere, învățare, născocirea unor noi motive pentru care nu ți-ai făcut tema – se desfășoară aici.

Cerebelul are un rol important în reglarea echilibrului și a mișcărilor complexe. Dacă ai făcut vreodată roata sau ai marcat un gol spectaculos (sau măcar unul ca vai de el), doar cerebelului trebuie să-i mulțumești.

Trunchiul cerebral este cea mai veche porțiune a creierului. Dar literalmente n-ai putea trăi fără el. Se ocupă de respirație, masticație, frecvența cardiacă, tuse, deglutiție, vomitat și altele.

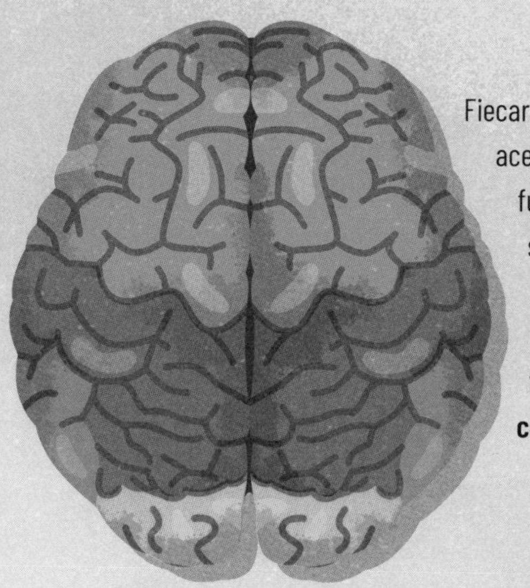

Fiecare emisferă cerebrală este împărțită în patru **lobi**. În acești lobi, niște grupuri mai mici de neuroni au anumite funcții. De exemplu, e un grup a cărui unică funcție este să recunoască fețe.

De unde știu oamenii de știință care părți ale creierului fac anumite lucruri? Parțial, află asta analizând ceea ce se întâmplă când creierul cuiva suferă leziuni.

Ideea că ne folosim doar 10% creier este un mit!

IRASCIBIL ȘI BĂDĂRAN

În 1848, un tânăr american care lucra la căile ferate pe nume Phineas Gage tasa praf de pușcă pentru a dinamita o rocă când acesta a explodat brusc. O bară de metal de vreo 60 de centimetri proiectată de suflul exploziei i-a străpuns obrazul stâng, ieșind prin partea superioară a craniului. Tija i-a extirpat din lobul frontal o porțiune perfect cilindrică, cu un diametru de câtiva centimetri. În mod miraculos, Gage a scăpat cu viață. Dar personalitatea lui s-a schimbat. Dacă înainte fusese un om vesel și popular, devenise acum irascibil și incapabil să se poarte cuviincios. Nenorocirea lui Gage a fost prima dovadă că lobul frontal se ocupă de personalitate.

Dacă anumite părți ale creierului sau conexiuni dintre diferite părți sunt afectate sau nu funcționează cum trebuie, asta poate cauza niște probleme parcă neverosimile.

Care dintre următoarele crezi că sunt boli reale?

- Sindromul Anton-Babinski: persoanele afectate sunt oarbe, dar refuză să creadă acest lucru.
- Sindromul Riddoch: persoanele afectate nu pot vedea decât obiectele în mișcare.
- Sindromul Capgras: persoanele afectate devin convinse că rudele sau prietenii lor au fost înlocuiți cu niște impostori.
- Sindromul Cotard: persoanele afectate cred că sunt moarte și nu pot fi convinse că nu e așa.

Răspuns: toate.

DEZVOLTAREA ȘI PLASTICITATEA CREIERULUI

CREIERUL TĂU NU ESTE CHIAR CA AL MEU.

Dar nici picioarele sau brațele tale nu sunt ca ale mele. Tot corpul tău crește și se dezvoltă, căpătându-și forma matură – și la fel face și creierul tău.

Creierul nu are un start tocmai lent. În primii doi ani de viață, se formează cam un milion de noi conexiuni între neuroni în fiecare secundă. Dar conexiunile creierului nu sunt complet realizate până după 25 de ani.

În adolescență, în creier au loc schimbări enorme. Se dezvoltă mai multă substanță albă, iar oamenii de știință cred că asta înseamnă probabil că creierul face mai rapid toate chestiile nemaipomenite pe care le face. Dar în același timp cantitatea de substanță cenușie se reduce. Asta nu e tocmai rău: la fel ca un gard viu, și creierul tău în creștere mai trebuie tuns până își capătă uluitoarea formă finală.

Diferite lucruri afectează modul în care se dezvoltă un creier și în ce fel se taie uscăturile. Genele joacă un rol, ca și ceea ce mănânci. Dar oamenii de știință cred că experiențele din familie, de la școală și din grupul de prieteni joacă și ele un rol important aici.

Abia recent și-au dat seama oamenii de știință cât de **plastic** poate fi creierul. Prin plastic, vor să spună că se poate adapta - conexiunile se pot schimba, iar o parte a creierului ar putea prelua o sarcină pe care de obicei o realizează alta. Deși asta se poate întâmpla și în creierul unui adult, creierele tinere o fac într-o măsură mult mai mare...

- **Când doctorii au scanat creierul unui bărbat între două vârste care părea cât se poate de normal, au descoperit cu surprindere că două treimi din spațiul său cranian era ocupat de un uriaș chist (o pungă cu lichid). Era clar că îl avea din fragedă copilărie, iar treimea rămasă a creierului preluase pur și simplu sarcinile părții care lipsea. Dar, înainte de această scanare, nici el, nici altcineva nu își dăduse seama că ar avea acel chist enorm.**

- **O adolescentă care s-a născut doar cu emisfera cerebrală dreaptă funcțională a devenit o cititoare peste medie, chiar dacă în mod normal emisfera stângă este cea care se ocupă de limbaj. Uimitor este că, în lipsa unei emisfere stângi funcționale, emisfera dreaptă a creierului ei a preluat controlul.**

- **O femeie a ajuns la vârsta de 24 de ani până să-și dea seama doctorii că nu are cerebel. Învățase să meargă abia la 7 ani și la 24 tot nu mergea foarte bine. Dar faptul că putea să meargă cât de cât fără acea parte a creierului care se ocupă în mod normal de mers i-a uluit pe doctori.**

SĂ NU ÎȚI CREZI CREIERUL

O fi creierul tău cel mai uimitor lucru din univers, dar îți mai joacă și feste. Des.

De fapt, face asta chiar acum.

Ce ar trebui să adaug este că îți joacă feste pentru binele tău. Dacă nu și-ar pune amprenta pe ceea ce vezi, ce auzi, ce guști și așa mai departe, lumea ar fi un loc foarte derutant. De pildă, iată ce se întâmplă când profesoara ta stă în fața clasei și începe să vorbească (înainte să te ia somnul, bineînțeles):

- Ochii tăi văd că gura profesoarei se mișcă înainte ca urechile tale s-o audă vorbind pentru că viteza luminii este mult mai mare decât viteza sunetului. Dar, pentru că nimănui nu îi place ca sunetul să fie desincronizat, creierul tău face să pară că ambele percepții survin exact în același timp.

- Sau clipitul. Clipești atât de des, încât ai ochii închiși cam 10% din timpul cât ești treaz. Dar nu observi aceste întreruperi frecvente a ceea ce vezi deoarece creierul tău se preface că micile intervale de întuneric pur și simplu nu se întâmplă.

Lejeritatea cu care tratează creierul tău adevărul explică și tot soiul de alte iluzii. Nu doar iluzii optice, care implică vederea, ci și iluzii care au legătură cu alte simțuri.

- Iluzia optică cu **tabla de șah** este faimoasă. Pătratul gri și pătratul alb din umbră sunt de fapt de aceeași culoare. Dar creierul tău insistă că pătratul gri de sus este de o nuanță mai închisă pentru că, pe baza tiparului închis/deschis, așa se așteaptă să fie. Da, creierul tău se folosește de felul cum se așteaptă să fie ceva pentru a crea ceea ce vezi... și face asta tot timpul.

- **Triunghiul lui Kanizsa** reprezintă încă un exemplu. În imagine nu există niciun triunghi. Dar, pe baza tuturor celorlalte forme, creierul tău decide că ar trebui să existe - așa că asta vezi.

- O băutură roz pare mai dulce decât una neagră. De ce? Deoarece creierul tău a învățat că alimentele roz, precum căpșunele și zmeura, sunt dulci. Așa că se așteaptă ca lucrurile roz să fie dulci, iar asta afectează felul cum simți gustul.

- O monedă rece pe care o pui pe frunte pare de două ori mai grea decât aceeași monedă la temperatura camerei. De ce? De fapt, asta nu e propriu-zis din cauza creierului tău – are legătură cu felul cum receptează el semnale nervoase referitoare la atingere și temperatură. Dar **iluzia talerului**, cum se numește aceasta, descoperită tocmai prin anii 1830, încă este destul de cool.

FAȚA

Hai să privim lucrurile drept în față... Fața ta e ciudată. Nu mă refer doar la fața *ta*. Toate fețele noastre sunt cam ciudate.

Câteva lucruri despre fețe care au sens:

- Ochii? Bifat.
- Gura? Îhî, totu-i în regulă.

Dar dup-aia pășim pe un tărâm mai misterios.

- Sprâncenele. Care-i rostul lor? Un scop este să împiedice scurgerea transpirației în ochi. Ele joacă și un rol în comunicarea cu alte persoane. O încruntare n-ar mai fi același lucru fără sprâncene.

Pentru că fețele noastre sunt atât de distinctive – și în general nu sunt acoperite de articole de îmbrăcăminte –, adesea ne bazăm pe ele ca să-i recunoaștem pe alții. Persoanelor cu prozopagnozie le este greu să facă asta. În cazuri grave, orice fizionomie (chiar și propria față văzută în oglindă) li se pare străină.

- Genele. Există dovezi că ele împiedică firele de praf și stropii de lichide să intre ochi. Plus că arată frumos.

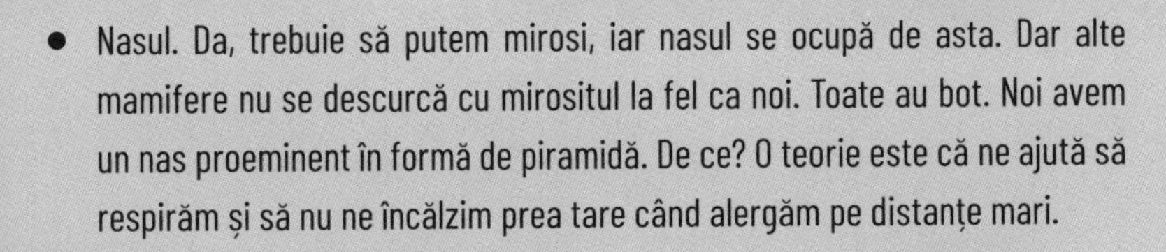

- Nasul. Da, trebuie să putem mirosi, iar nasul se ocupă de asta. Dar alte mamifere nu se descurcă cu mirositul la fel ca noi. Toate au bot. Noi avem un nas proeminent în formă de piramidă. De ce? O teorie este că ne ajută să respirăm și să nu ne încălzim prea tare când alergăm pe distanțe mari.

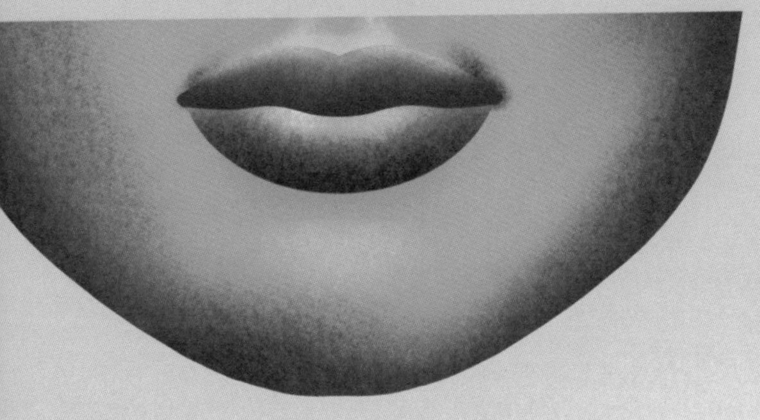

- Cea mai misterioasă dintre toate este bărbia. Aceasta este specifică oamenilor și nimeni nu știe de ce avem așa ceva.

Una dintre cele mai importante funcții pe care le îndeplinește fața este totuși să ne găzduiască ochii pentru văz, nasul pentru miros și limba pentru gust. Să începem cu ochii și cu ciudata lume a vederii...

VĂZUL

Dacă ai ține în mână un glob ocular uman, s-ar putea să te surprindă cât e de mare. Căci ceea ce vezi când ochiul este în orbită nu e decât șesimea frontală. Restul e adăpostit într-un buzunar protector din os. Ceea ce e bine, având în vedere că practic este doar un săculeț cu gel. Deși un săculeț cu gel destul de complex, clar.

Pupila este, desigur, acel orificiu ajustabil prin care lumina este dirijată spre interiorul ochiului. (Dacă privești pe cineva în ochi, poți vedea imaginea ta micșorată în porțiunea aceea micuță din centru. O imagine mică... precum un copilaș: lumina ochilor!)

Când undele luminoase ating **retina**, celulele senzoriale numite **bastonașe** și **conuri** transmit semnale electrice prin nervul optic către creier. Abia când aceste semnale ajung la creier poți efectiv să vezi ceva.

Fovea este focarul vederii tale. Dacă vrei să vezi bine ceva, cum ar fi o felie de tort, te uiți *drept* la acel lucru, nu? Astfel, undele luminoase reflectate de tort ajung la fovea și tu ai o imagine foarte clară a acestuia. Iar asta înseamnă că în mod sigur ieși din magazin cu felia de tort cu ciocolată și caramel, și nu ai luat din greșeală o felie de tort cu cafea și sfeclă roșie.

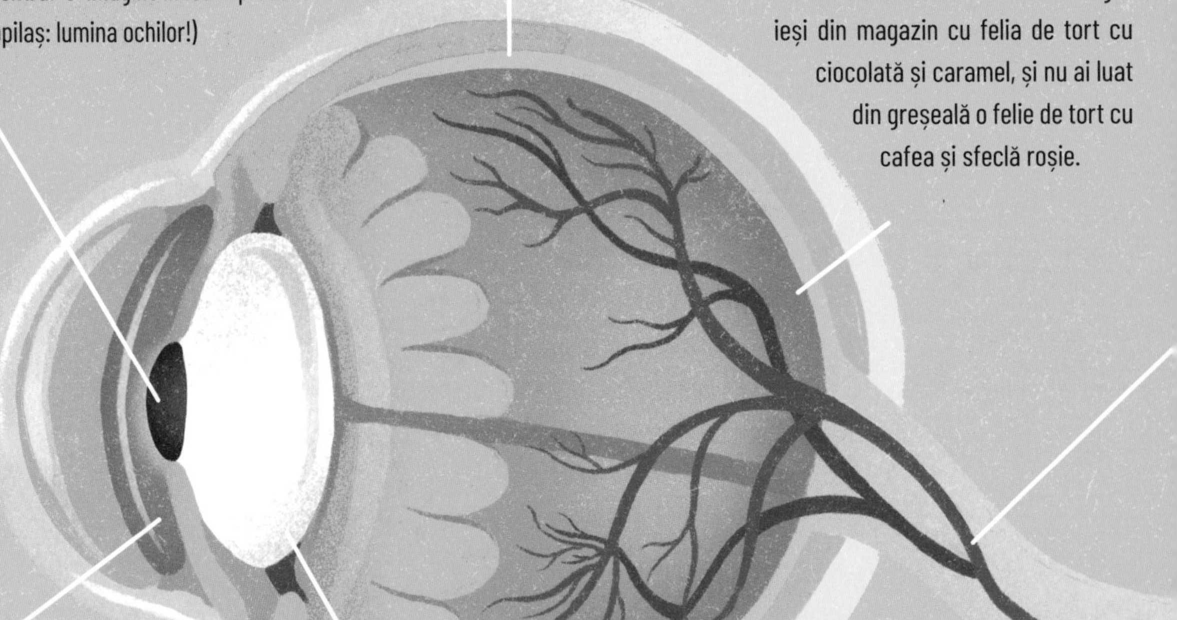

Irisul este membrana colorată în mijlocul căreia se găsește un orificiu ajustabil.

Corneea protejează ochiul. Dar de fapt contribuie în proporție de două treimi la focalizarea luminii de către ochi. Această focalizare face totul mai clar.

Cristalinul (lentila la care se gândește toată lumea când vine vorba de focalizare) contribuie (da, după niște calcule exacte) doar cu o treime la focalizarea ochiului.

Îți amintești că spuneam că creierul tău îți joacă mereu feste? Iată câteva exemple.

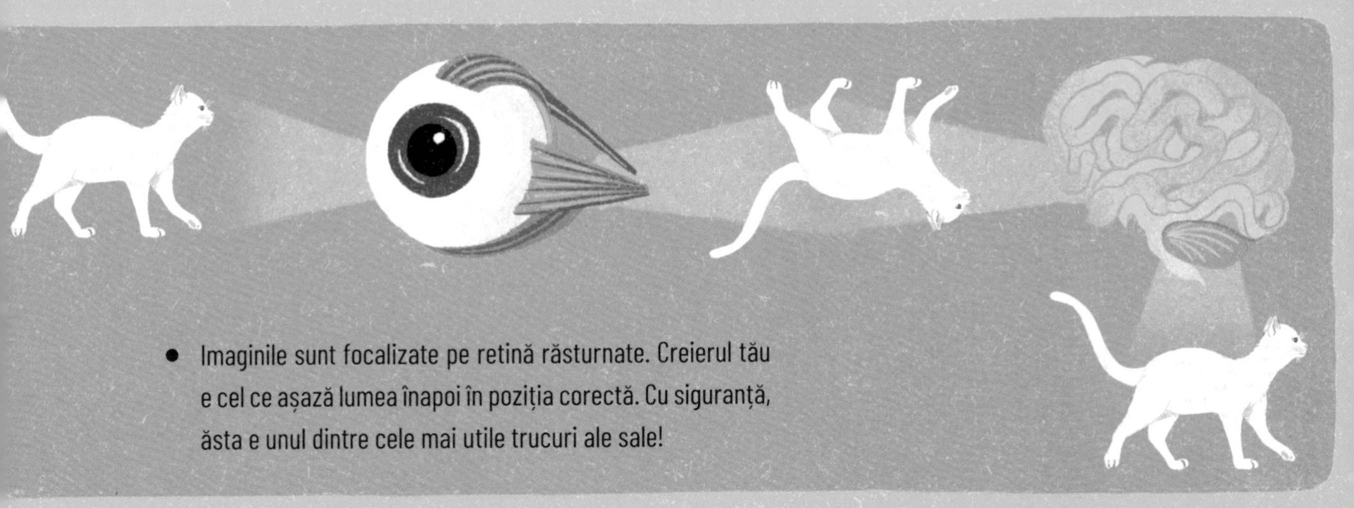

- Imaginile sunt focalizate pe retină răsturnate. Creierul tău e cel ce așază lumea înapoi în poziția corectă. Cu siguranță, ăsta e unul dintre cele mai utile trucuri ale sale!

- Vezi cum iese **nervul optic** prin retină? Nervul optic e cam cât un creion de gros, iar porțiunea mărișoară din retină prin care trece acesta nu conține receptori vizuali. Din motive evidente, aceasta se numește **pata oarbă**. Dar în mod normal nu ești conștient de ea deoarece creierul tău inventează ceea ce crede el că ar trebui să se petreacă aici. Asta înseamnă că tu vezi o imagine completă a lumii, nu una cu un ditamai golul în ea.

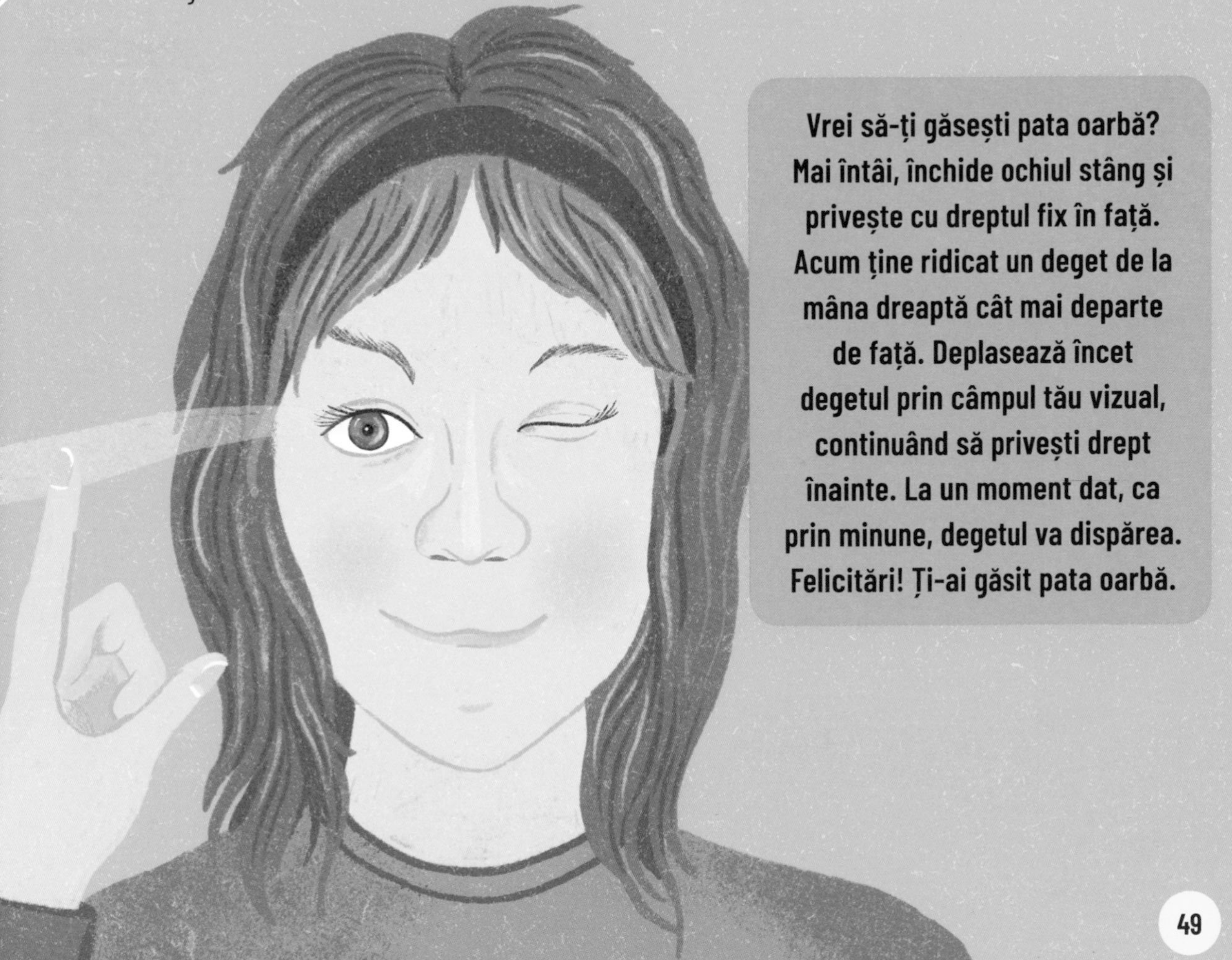

Vrei să-ți găsești pata oarbă? Mai întâi, închide ochiul stâng și privește cu dreptul fix în față. Acum ține ridicat un deget de la mâna dreaptă cât mai departe de fața. Deplasează încet degetul prin câmpul tău vizual, continuând să privești drept înainte. La un moment dat, ca prin minune, degetul va dispărea. Felicitări! Ți-ai găsit pata oarbă.

LUMINA ȘI ÎNTUNERICUL

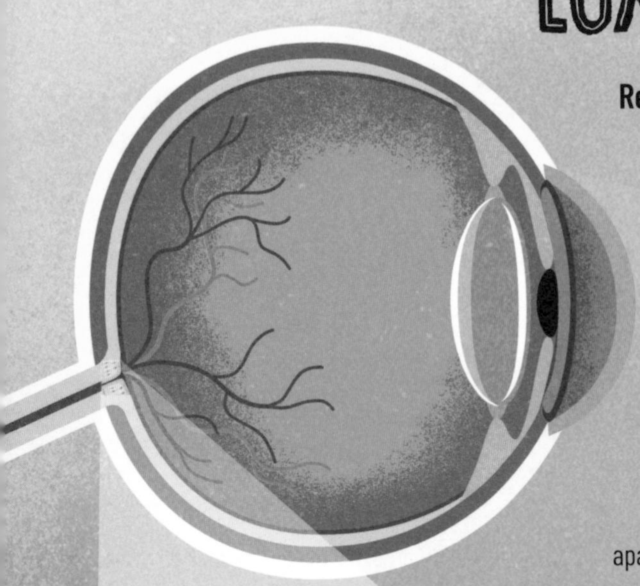

Receptorii vizuali sunt de două tipuri.

Bastonașele funcționează cel mai bine când lumina e slabă. Dar nu ne oferă și culori. Tu ai cam 120 de milioane de bastonașe, mai ales în regiunile dinspre marginile retinei.

Cele șapte milioane de **conuri** ale tale îți permit să vezi în culori. Densitatea lor este maximă în fovea. Și ele funcționează cel mai bine la lumină puternică.

Când lumina e slabă, ne bazăm pe bastonașe ca să vedem - iar totul apare în nuanțe sinistre de gri.

PERCEPȚIA CULORILOR

Conurile sunt de trei tipuri. Acestea se numesc albastre, verzi și roșii. Dar asta nu înseamnă că reacționează doar la lumina pe care o percepem sub forma acestor culori. Fiecare tip de con reacționează la o anumită gamă de unde luminoase. Împreună, ne permit să vedem cel puțin două milioane de culori diferite.

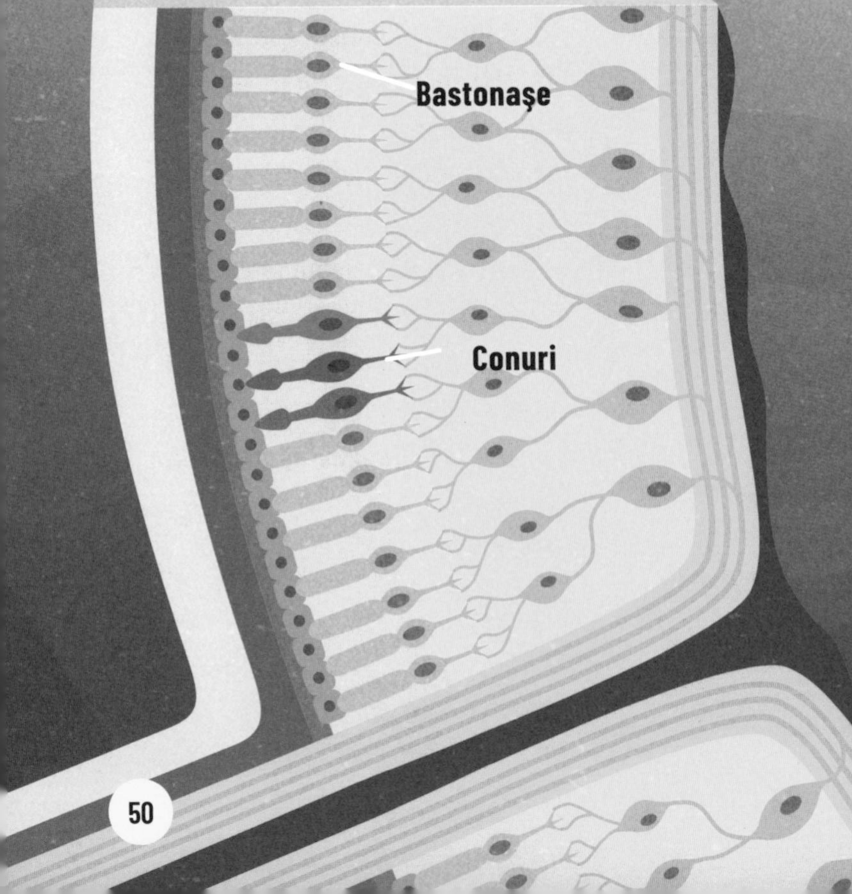

Bastonașe

Conuri

O undă luminoasă este o undă de energie în mișcare. Este alcătuită din niște particule elementare numite fotoni. Undele luminoase au diferite lungimi, iar lungimea determină culoarea. „Lumina albă" conține toate lungimile de undă pe care le putem percepe.

Păsările, peștii și reptilele au *patru* tipuri de receptori cromatici. Până și peștișorii aurii văd culori pe care noi nu le putem vedea.

Persoanele care suferă de **acromatopsie** fie nu au unul dintre cele trei tipuri de conuri, fie au un tip care nu funcționează cum trebuie.

Unu din 12 băieți și bărbați și una din 200 de fete și femei suferă de daltonism. Unei persoane ce are această anomalie s-ar putea să-i fie greu să deosebească nuanțele de roșu, portocaliu, galben, brun și verde.

Cecitatea (orbirea) cromatică pentru albastru și galben este mai rară. Aceasta creează dificultăți în cazul nuanțelor de albastru, verde și galben.

MUSCAE VOLITANTES

Te-ai uitat vreodată la cer și ai văzut câțiva nori, un avion trecând, poate un pescăruș planând... și niște chestii care plutesc chiar la suprafața globului tău ocular?

„Musculițele" astea, numite *muscae volitantes*, nu sunt de fapt pe globul tău ocular. Nu sunt nici bacterii care-ți mănâncă ochiul, nici altceva pentru care să-ți faci griji. Nu sunt decât niște cocoloașe de fibre microscopice din porțiunea gelatinoasă a ochiului. Le vezi pentru că aruncă o umbră pe retină.

***Muscae volitantes* sunt ceva normal. Uneori - deși rar - pot să indice o dezlipire de retină. Dar în general chiar nu ai de ce să-ți faci griji.**

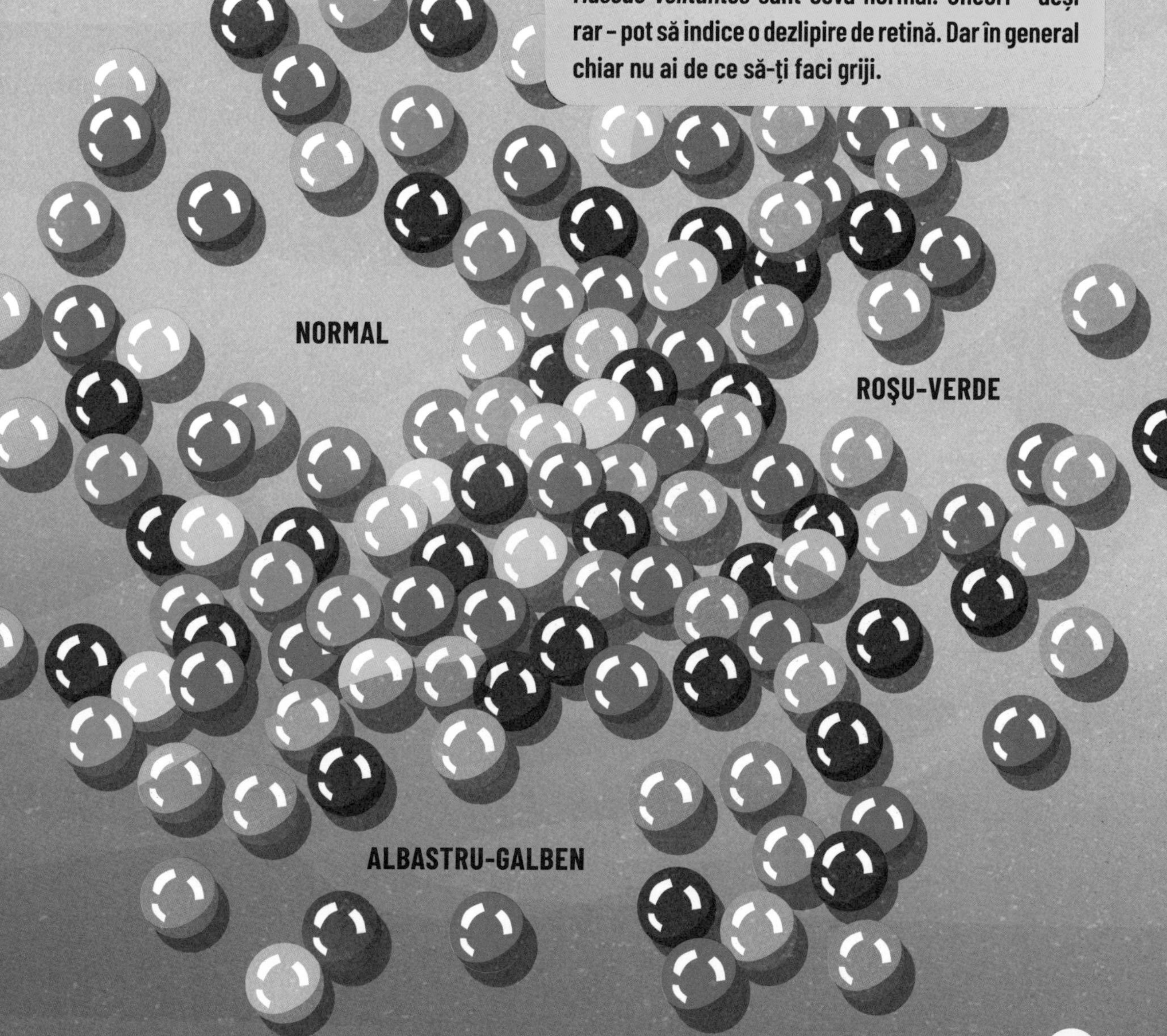

CEASURILE BIOLOGICE

O să-ți spun o poveste. Dar mai întâi o să-ți spun un lucru pe care mulți nu-l știu: ochii tăi au două funcții. Nu una. *Două*.

În iulie 1962, un tânăr om de știință francez pe nume Michel Siffre a coborât 130 de metri într-o peșteră din măruntaiele Alpilor (cel mai mare sistem muntos din Europa). Era atât de adânc în subteran, încât lumina zilei nu putea ajunge la el. Dar avea la el o lanternă, hrană și apă. Planul lui era să rămână în peșteră până pe 14 septembrie. Iar sarcina îi era destul de simplă: să dea telefon unei echipe de la suprafață în fiecare dimineață când se trezea și din nou chiar înainte să adoarmă.

Când Michel și-a sunat echipa în ziua când, după calculele sale, ar fi fost 20 august, a avut o mare surpriză. I s-a zis că e timpul să iasă din peșteră, pentru că de fapt e 14 septembrie. Stătuse acolo, în peșteră, cu *25 de zile mai mult* decât crezuse.

În mod normal, noi urmăm un ciclu de 24 de ore. Ne trezim cam la aceeași oră în fiecare dimineață și ne culcăm cam la aceeași oră seara (bine, nu și când dormim la un prieten, evident). Dar echipa a descoperit că ciclul lui Michel se lungise la 24 de ore și jumătate.

Așa că el se trezise și se culcase puțin mai târziu în fiecare zi... până când, în cele din urmă, a ajuns să stea treaz noaptea și să doarmă în timpul zilei.

De asta s-a înșelat atât de tare asupra numărului de zile petrecute în peșteră. Și asta era o dovadă, a spus Michel, că corpul are ceasul lui.

Alți oameni de știință nu au fost de acord. Cum ar putea *corpul* să aibă un *ceas*? Dar tot soiul de studii realizate ulterior arată că așa este. De fapt, se pare că corpul nu are doar un ceas, ci o grămadă. Pancreasul are unul, la fel și inima, mușchii și rinichii. Fiecare ceas funcționează după propriul orar. Ele dictează când este organul mai ocupat sau mai relaxat.

În creier se află ceasul tău deșteptător interior. Acesta îți dă deșteptarea și te trimite la culcare. Și este menținut într-un ciclu de 24 de ore (nu mai lung) de semnalele de luminozitate din ochi. De la bastonașe, zici tu? Aș! De la conuri? Nici.

Ca să te lămuresc, o să-ți mai spun o poveste...

În 1999, după zece ani de muncă asiduă, cercetătorul Russell Foster a arătat că ochii conțin și un al treilea tip de celule (pe lângă bastonașe și conuri) ce reacționează la lumină.

Receptorii ăștia (ce au un nume lung: celule ganglionare retiniene fotosensibile) n-au treabă cu vederea. Da, detectează lumina. Dar tot ce fac cu informația asta este să transmită ceasului deșteptător al creierului că s-a făcut noapte sau zi. De asta s-a înșelat aşa de tare Siffre estimând cât timp trecuse: creierul său nu mai primea aceste semnale.

La început, nu l-a crezut nimeni nici pe Foster. Oamenii de știință studiau ochiul de decenii. Era imposibil ca asta să le fi scăpat tuturor celorlalţi!

Dar, la fel ca temerarul speolog Michel Siffre, Russell Foster avea dreptate.

AUZUL

Auzul este un miracol neapreciat la adevărata sa valoare.

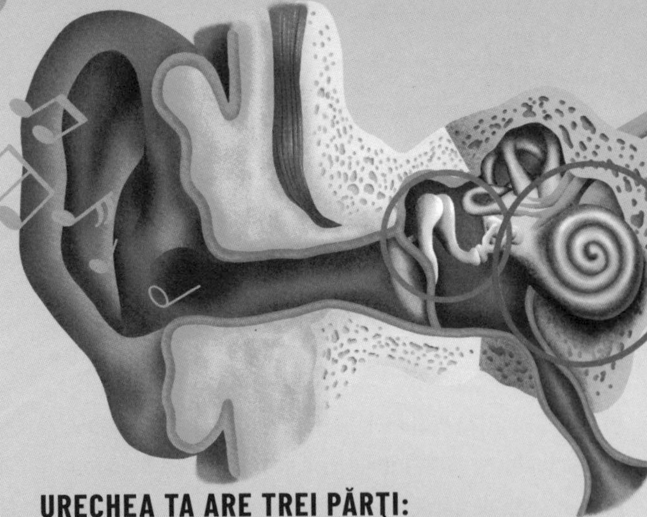

HARDWARE:

- trei oscioare;
- nişte mănunchiuri de muşchi şi ligamente;
- o membrană delicată;
- nişte neuroni.

REZULTAT:

Poți auzi orice, de la cea mai ușoară bură de ploaie pe fereastră până la muzica îngrozitoare pe care o pun (iarăși) părinții tăi la maximum.

URECHEA TA ARE TREI PĂRȚI:

1. **Urechea externă – pavilionul** sau **auricula**, ca să-i folosim numele oficial. Este segmentul flexibil căruia îi spunem de obicei „ureche". Forma sa ciudată îndeplinește surprinzător de bine funcția de a capta sunetele din jur. Canalul auditiv face legătura între urechea externă și...

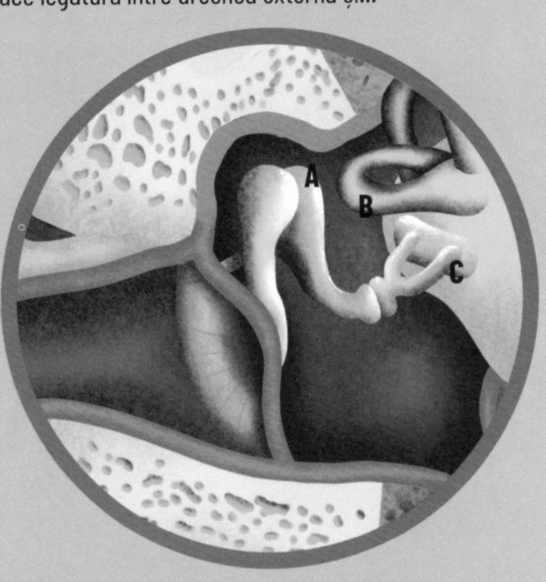

Iată ceva uimitor legat de ureche: la strămoșii noștri, malleus, incus și stapes erau oase ale maxilarului. Pe parcursul evoluției ele au migrat treptat spre ureche. În mare parte a istoriei lor, aceste trei oase nu avuseseră însă nimic de-a face cu urechea.

2. **Urechea medie.** Prima stație: timpanul (sau **membrana timpanică**). Undele sonore fac timpanul să vibreze. Aceste vibrații sunt transmise celor trei oscioare de care pomeneam mai sus. Acestea sunt:

A. **Malleus** (denumire comună: ciocan);
B. **Incus** (denumire comună: nicovală);
C. **Stapes** (denumire comună: scăriță).

(Ăla care le-o fi dat denumirile astea comune chiar era pasionat de fierărie.)

O undă sonoră este o undă în mișcare de vibrații ale moleculelor (combinații de atomi). Undele sonore pot străbate gaze – precum cele din aer –, dar și lichide și solide.

OSCIOARELE TRANSMIT MAI DEPARTE VIBRAȚIILE CĂTRE...

3. **Urechea internă**. Mai exact, către **cohlee**. Asta-i o chestie răsucită ca o cochilie de melc (cuvântul latinesc *cochlea* înseamnă „cochilie") care conține 2.700 de celule ciliate, ca niște perișori. Când undele sonore trec peste ele, acestea se unduiesc precum algele din apa oceanului și transmit semnale către creier.

Creierul pune cap la cap semnalele și interpretează ceea ce tocmai a auzit.

Unul dintre lucrurile incredibile în povestea asta e cât de mici sunt toate. Cohleea nu e mai mare decât o sământă de floarea-soarelui. Cele trei oscioare ar încăpea pe un nasture de la cămașă.

Urechile noastre sunt incredibil de sensibile. Și sunt făcute pentru o lume liniștită. Ele au evoluat pe vremea când nu erau toate așa de zgomotoase ca astăzi. Cine să fi știut că într-o zi oamenii își vor introduce bucățele de plastic în urechi ca să asculte muzică? Dar zgomotele puternice (cum ar fi unele dintre melodiile pe care le ascultăm la căști) pot să afecteze ori chiar să distrugă celulele alea ciliate. Nu e bine deloc. Odată distruse, le-am pierdut pe vecie.

ECHILIBRUL

Urechea internă nu se mulțumește să se ocupe doar de auz, ci mai are o funcție incredibil de utilă.

Este responsabilă și cu menținerea echilibrului. Și face asta folosindu-se de un ansamblu foarte ingenios de „canale semicirculare" și de doi săculeți, care împreună alcătuiesc **sistemul vestibular**.

Când capul tău se mișcă, un fluid și niște mici cristale se mișcă și ele în interiorul acestui sistem. Mișcările îndoaie niște perișori aflați pe peretele interior al canalelor (care sunt ca niște tubulețe) și săculeții, iar apoi celulele ciliate transmit semnale creierului. Acesta folosește semnalele pentru a afla în ce direcție te deplasezi și cât de rapid, ca să-ți mențină echilibrul.

De ce te simți amețit când te oprești după ce te-ai învârtit? Pentru că, deși ochii tăi îi spun creierului că te-ai oprit, fluidul din interiorul sistemului vestibular continuă să se miște.

MIROSUL

Dacă ar fi să renunți la unul dintre simțuri, care ar fi acela? Majoritatea oamenilor spun că ar alege mirosul. Conform unui sondaj, jumătate dintre participanții sub 30 de ani au spus chiar că mai degrabă și-ar sacrifica simțul mirosului decât să se despartă de dispozitivul lor electronic favorit.

SUNT NEVOIT SĂ-ȚI SPUN: AR FI O PROSTIE.

Mirosul este important în multe sensuri. Când ne gândim că mâncarea este *savuroasă*, această savoare o dă nu atât gustul, cât mirosul.

Când mesteci mâncarea, niște substanțe mirositoare urcă din gură în nas. Aici, intră în contact cu **receptorii olfactivi**. Tu ai cam 400 de tipuri de receptori olfactivi. Interpretând semnalele primite de la acești receptori, creierul tău poate recunoaște orice, de la aroma apetisantă a ciocolatei calde până la mirosul scârbos al unei verze de Bruxelles stricate.

Iată alt motiv pentru care avem nevoie de simțul mirosului: ne ajută să decidem ce vrem să bem ori să mâncăm, precum și ce *nu vrem nici în ruptul capului* să băgăm în gură.

Simțul mirosului îți poate atrage atenția și la alte pericole, cum ar fi mirosul de ars.

De obicei ne gândim că *alte* animale sunt bune la mirosit. Câinii sunt faimoși ca maeștri ai adulmecatului. Nu că aș vrea să le știrbesc din merite, dar cercetări recente sugerează că oamenii pot detecta cam un trilion de mirosuri. Deci nu stăm nici noi chiar așa de prost cum credem cu mirositul.

De fapt, când niște cercetători din America au împrăștiat un miros de ciocolată peste o pajiște și apoi le-au cerut unor voluntari să se așeze în patru labe și să încerce să urmărească, adulmecând, dâra de miros, două treimi dintre ei s-au descurcat foarte bine.

TOT NU TE-AM CONVINS? FII ATENT AICI:

- Persoanele cărora li se cere să adulmece mai multe tricouri îl pot identifica de obicei pe cel care a fost purtat de cineva din familia lor.
- Bebelușii și mamele lor se pricep foarte bine să se identifice reciproc doar după miros.
- Într-un test care urmărea să stabilească abilitatea câinilor și a oamenilor de a recunoaște mirosuri, oamenii s-au descurcat mai bine decât câinii în cazul a *cinci* dintre cele 15 mirosuri testate.

Ei, tot ai prefera să renunți mai degrabă la simțul mirosului decât la telefon sau tabletă? Ai avea extrem de multe de pierdut. Crede-mă.

GURA

E vreo oglindă prin preajmă? Dacă da, du-te și uită-te în oglindă în timp ce caști gura mare. Ar trebui să vezi cam așa ceva...

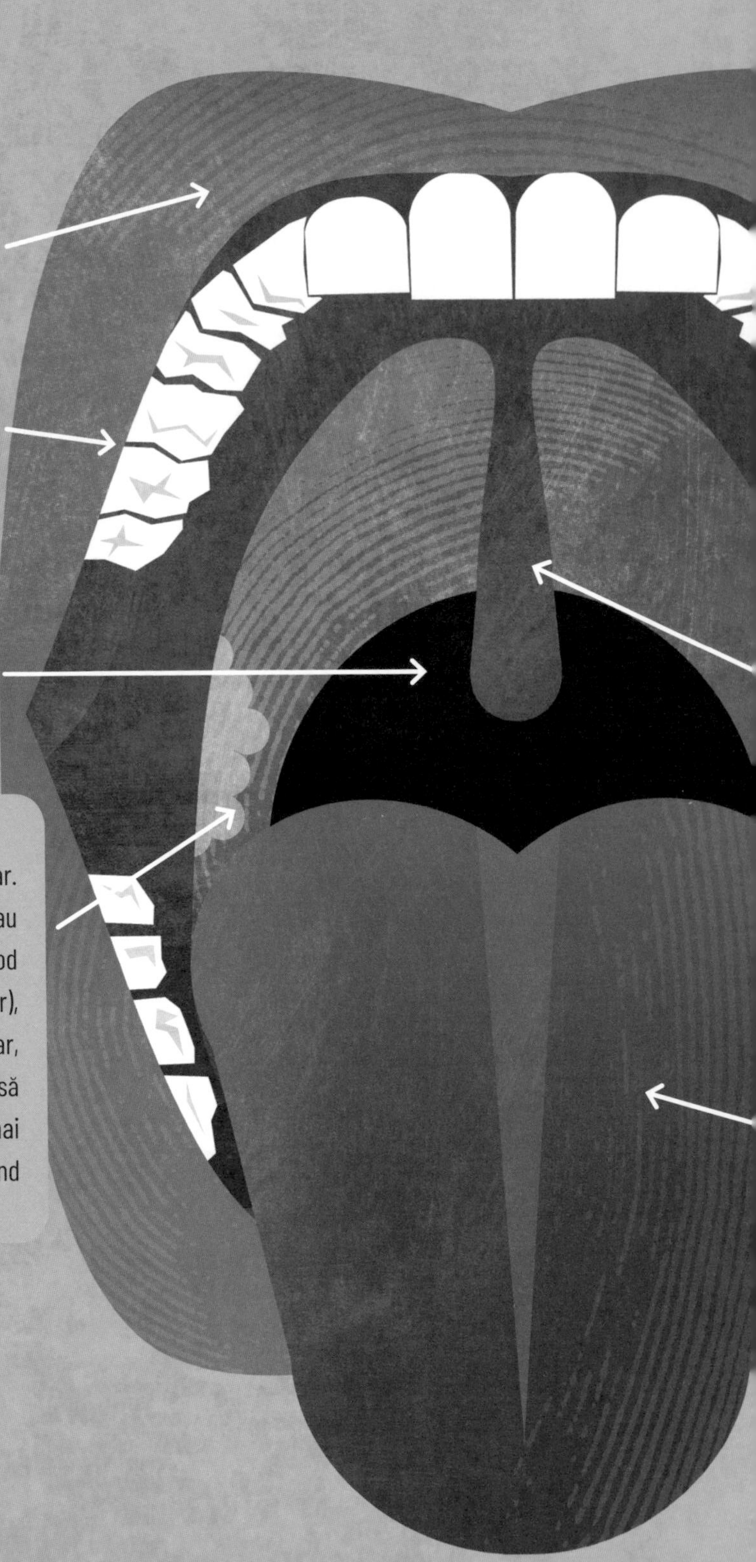

BUZELE

Utile ca să-ți închizi bine gura. Și sunt ticsite de senzori tactili.

GINGIILE ŞI DINŢII

Gingiile învelesc și fixează dinții. (O să ne uităm mai bine la dinții tăi după ce dai pagina.)

GAURA NEAGRĂ

Gâtlejul. Pe aici intră în corp mâncarea, băutura și aerul.

AMIGDALELE

Amigdalele sunt parte din sistemul tău imunitar. Nu o parte esențială - multe persoane și-au extirpat amigdalele după ce au făcut în mod repetat amigdalită (infecții ale amigdalelor), iar unele continuă să se îmbolnăvească. Dar, pentru că amigdalele par totuși să ne ajute să luptăm împotriva infecțiilor, doctorii nu se mai grăbesc astăzi să le extirpe ca pe vremea când erau părinții tăi mici.

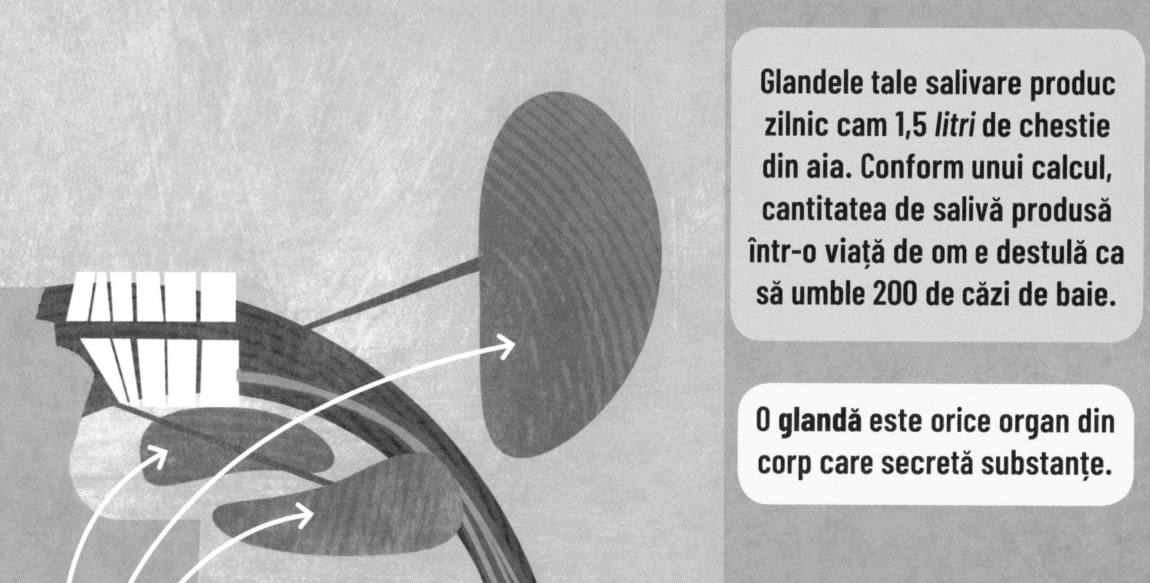

Glandele tale salivare produc zilnic cam 1,5 *litri* de chestie din aia. Conform unui calcul, cantitatea de salivă produsă într-o viață de om e destulă ca să umble 200 de căzi de baie.

O **glandă** este orice organ din corp care secretă substanțe.

GLANDELE SALIVARE

Ai 12. Saliva este compusă aproape numai din apă. Restul e bogat în enzime (proteine cu funcții speciale). Sarcina enzimelor din salivă este să înceapă să descompună zaharurile cât încă se află în gură.

OMUȘORUL SAU UVULA

Nimeni nu știe sigur la ce folosește. Dar pare să fie un soi de apărătoare a gurii. Direcționează alimentele pe gât în jos (împiedicându-le să-ți iasă pe nas dacă tușești în timp ce mănânci). E posibil să joace un rol și în vorbire – deși mai toți oamenii de știință cred asta pentru simplul fapt că omul este singurul animal ce are așa ceva!

LIMBA

Limba este în principal mușchi, cu un accesoriu impresionant numit gust. Una dintre funcțiile principale ale limbii este să plimbe mâncarea prin gură în timp ce o mesteci și să te ajute să identifici chiar și cea mai mică bucățică de ceva ce n-ai vrea să înghiți. Cum ar fi un os de pește. Sau o bucățică de ambalaj de staniol de la un biscuit cu ciocolată. De asemenea, îți permite să vorbești. Dar nu cu gura plină, sper.

DINŢII

Bebelușii și copiii foarte mici trec prin tot felul de chinuri când le cresc dinții de lapte, numai ca să le cadă toți peste vreo câțiva ani.

Știi și tu cum e. De pildă, stai în bancă așa de plictisit la oră, că îți tot împingi cu limba un dinte care se clatină. Și apoi îți cade brusc din gură, iar copiii de lângă tine scot exclamații de dezgust.

Dar asta trebuie musai să se întâmple. Pe măsură ce crești, ai nevoie de dinți mai mari. Și mai mulți. Până pe la 10-12 ani, ai vreo 20 de dinți:

- 8 plați și tăioși, numiți **incisivi**. Sunt folosiți pentru tăierea unei bucăți dintr-un sendviș sau un biscuit ori dintr-o ditamai tulpina de țelină de toată frumusețea (în visele părinților tăi!).
- 4 colți ascuțiți, numiți **canini**. Te ajută să muști și să mesteci mâncarea.
- 8 **premolari** sau măsele care servesc la sfărâmare și măcinare.
- Adulții mai au și 8 **molari** (tot pentru mestecat). De obicei apar pe la 10-12 ani. Adulții mai au și patru molari în plus. Ultimele care cresc sunt **măselele de minte**, ce nu prea apar înainte să împlinești măcar 17 ani și nici nu garantează că chiar o să ai mai multă minte.

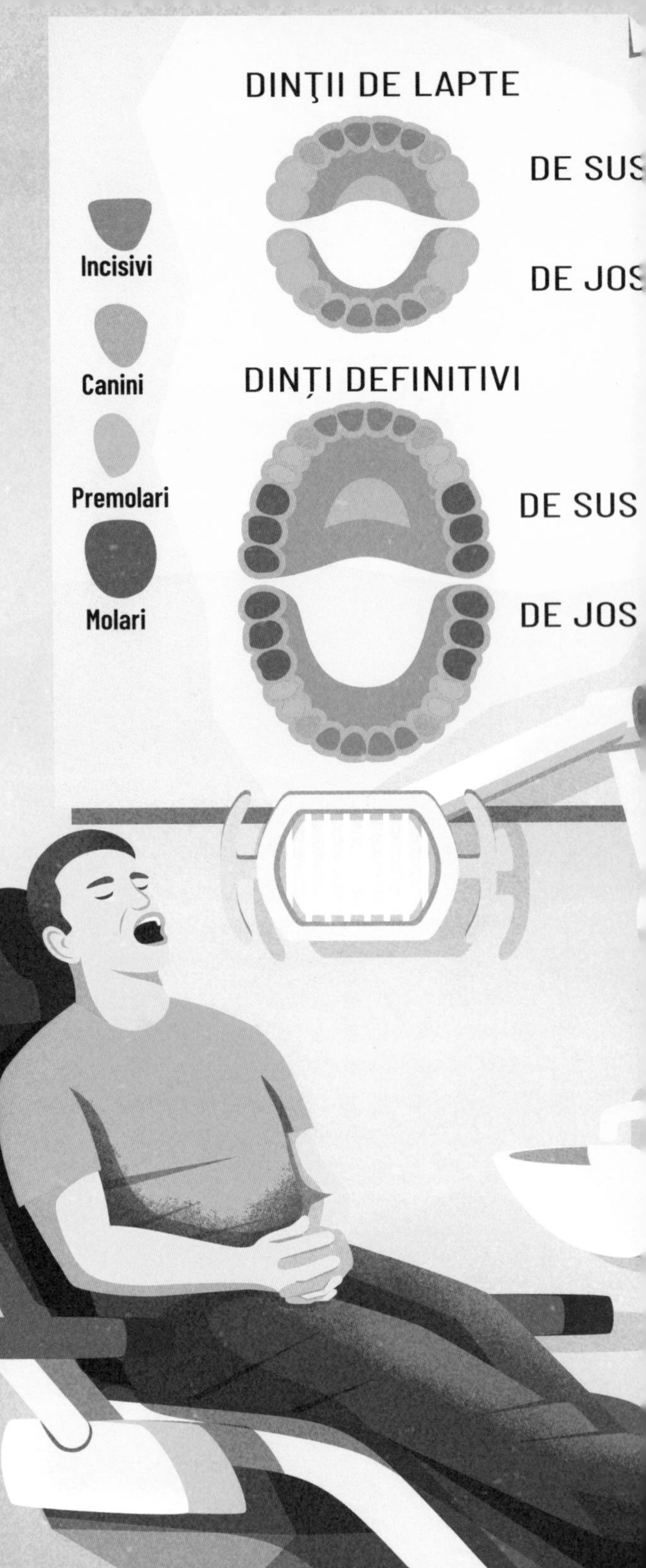

Mușcătura omului e destul de puternică, deși nu se compară cu a unui urangutan, care este *de cinci ori* mai puternică.

DINȚII MAI AU ȘI ALTE PĂRȚI DECÂT CELE PE CARE LE POȚI VEDEA.

Chestia aia albă de la suprafață se numește **smalț**. Este cea mai dură substanță din tot corpul tău.

Înăuntru se află **pulpa**. Aici găsești vase de sânge și nervi.

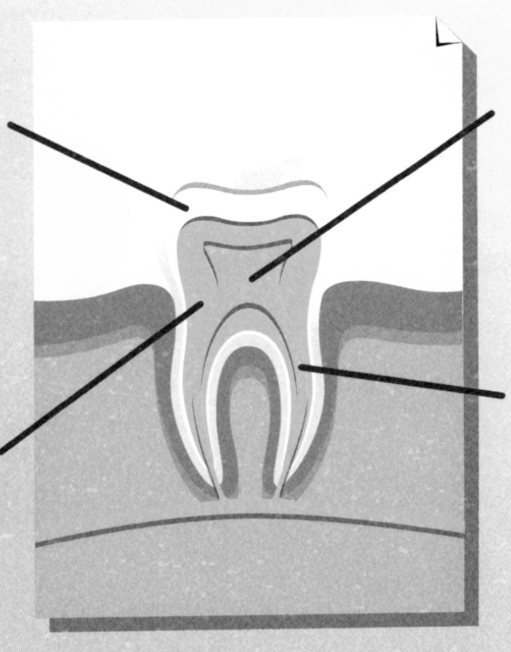

Sub smalț se află **dentina**, care este dură (dar nu la fel de dură ca smalțul). Cea mai mare parte a dintelui este formată din dentină.

Rădăcinile dinților tăi se fixează în os.

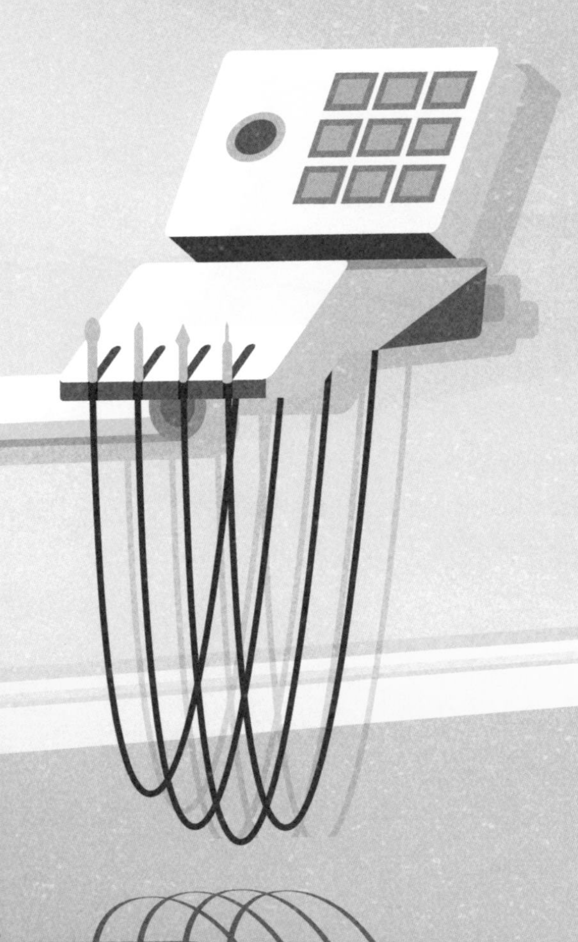

CARIILE

Îți mai amintești că am zis că saliva începe să descompună zaharurile din alimente? *Mmmm, zahăr!* Noi, oamenii, ne dăm în vânt după el. La fel și bacteriile care trăiesc în gura noastră. Se îndoapă cu zahăr, eliminând acizi. Acești acizi pot forma mici cavități în dinții noștri – numite **carii**.

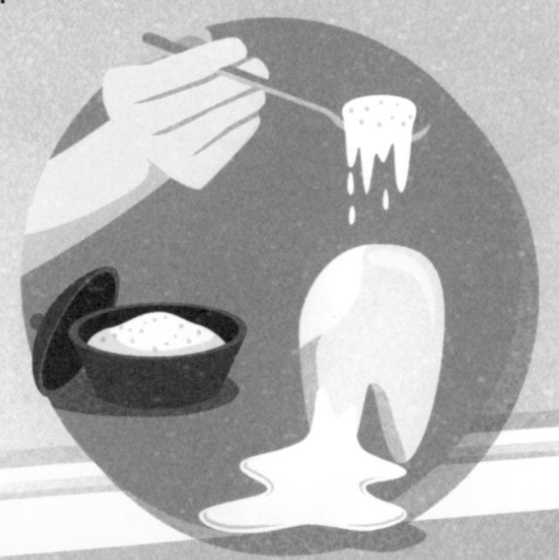

Poți reduce riscul de apariție a cariilor spălându-te pe dinți cu regularitate, evitând gustările dese și bând mai degrabă apă, nu băuturi îndulcite.

GUSTUL

Mai e oglinda aia pe-acolo? Dacă da, du-te în fața oglinzii, scoate limba și uită-te bine la ea.

Acele mici proeminențe pe care le vezi pe suprafața ei se numesc **papile**. Ele conțin pâlcuri de **muguri gustativi**. Aceștia găzduiesc **receptorii gustativi**.

Gustul îți spune ce vrei să înghiți... și ce nu vrei cu niciun chip. Acești receptori percep cinci gusturi de bază:

DULCE – Zaharuri

SĂRAT – Sare (desigur!)

ACRU – Acizi, precum cei din fructe (indicând prezența vitaminei C)

AMAR – Multe substanțe produc un gust amar. Printre ele se numără și unele otrăvuri naturale. Dar și unele medicamente.

UMAMI – Acest gust **savuros** îl dă carnea, precum și miso (pasta de soia) și roșiile.

Unii oameni de știință cred că mai putem simți următoarele gusturi:

- apos;
- uleios;
- de amidon (din pâine, de exemplu).

Dar numai primele cinci gusturi sunt acceptate de toți oamenii de știință.

Umami a intrat cel mai recent în acest grup. Este un termen japonez care înseamnă „esența savorii". A fost asociat pentru prima dată cu o supă japoneză de pește populară numită *dashi*. Supa asta se prepară din două ingrediente care la început s-ar putea să nu pară tocmai delicioase – alge și fulgi de pește uscat –, dar al căror gust ne place la nebunie.

ȘTII DE CE UN CURRY PLIN DE ARDEI IUTE PARE CĂ FRIGE?

De fapt, iuțeala asta arzătoare nici măcar nu e un gust. Pe lângă receptori gustativi, limba ta conține și senzori pentru durere ce reacționează la temperaturi foarte înalte. Ardeiul iute conține o substanță numită **capsaicină**, care se întâmplă să activeze și acești nociceptori, făcând creierul *să creadă* că îți arde gura. De fapt, e doar o festă. **Da, suntem tot timpul păcăliți de o plantă!**

Oamenii de știință cred că ardeiul a dezvoltat capsaicina ca armă de apărare: *Nu mă mânca, altfel o să te fac să simți că ți-a luat gura foc!* Deși asta ține la majoritatea mamiferelor, la oameni nu prea are succes. Multora dintre noi ajunge să le placă mult să mănânce foarte picant.

Iuțeala ardeilor se măsoară pe **scara Scoville** (numită așa după creatorul său, Wilbur Scoville). Iată cum se încadrează diferiți ardei pe această scară:

- ardeiul gras: între 50 și 100 de unități;
- jalapeño: între 2.500 și 5.000 de unități;
- Carolina Reaper: 2,2 milioane de unități.

Da, ai citit bine. Soiul Carolina Reaper este ridicol de iute. Asta nu-i oprește pe unii să-l consume, în general la concursuri de mâncat ardei iuți. Dar efectele pot fi destul de neplăcute – amețeli, vomă, dureri crâncene de stomac. **Nu, mersi, cred că jalapeño e suficient pentru mine.**

Am o întrebare pentru tine: ce crezi că faci tu o dată la 30 de secunde, de vreo 2.000 de ori pe zi?

ÎNGHIȚI

Trebuie s-o înghiți des. Altfel, acel un litru și ceva de salivă pe care o produci zilnic ți-ar umple gura destul de rapid. Dar uneori înghițim și ce n-ar trebui. Și nu doar copiii fac asta, ci și adulții.

Ai auzit de Isambard Kingdom Brunel? Sper că da, pentru că a fost unul dintre cei mai mari ingineri din istorie. Dar în primăvara anului 1843 a ajuns pe prima pagină a ziarelor britanice pentru ceva cam jenant...

TRUCUL CARE N-A MERS BINE

Brunel construia *SS Great Britain*, cel mai mare vas din lume la vremea aceea. Într-o zi, și-a luat o pauză de la muncă pentru a-i amuza pe copiii lui cu un truc de magie. Dar lucrurile nu prea au mers conform planului.

Brunel ascunsese o monedă de aur sub limbă, iar când era distracția mai în toi, a înghițit-o din greșeală. Aceasta s-a înțepenit la baza traheii. Nu-l durea deloc, dar știa că, dacă moneda s-ar fi deplasat chiar și numai *puțin*, l-ar fi putut asfixia.

În următoarele câteva zile, Brunel, prietenii, colegii, rudele și doctorii săi au încercat tot ce le-a trecut prin cap ca să scoată moneda, de la a-l lovi puternic cu palma pe spate până la a-l scutura în timp ce-l țineau suspendat de glezne. Brunel chiar a conceput un soi de dispozitiv care îl ținea cu capul în jos și îl zgâlțâia. Nimic nu a funcționat.

„TRATAMENTUL" GÂTULUI TĂIAT

Curând, toată lumea vorbea de necazul lui Brunel. A început să primească sugestii din toate colțurile Marii Britanii și chiar și din alte țări. Un doctor faimos, sir Benjamin Brodie, a încercat o **traheotomie**. Fără anestezie - un procedeu eficient de suprimare a durerii care în Marea Britanie încă nu se folosea pe atunci -, a făcut o incizie în gâtul lui Brunel și a încercat să extragă moneda. Însă Brunel nu a mai putut să respire și a început să se sufoce, așa că Brodie a fost nevoit să renunțe.

Apoi, la șase săptămâni după ce înghițise moneda, Brunel a mai încercat o dată leagănul lui cu capul în jos. De data asta, a mers. Moneda a căzut aproape imediat și s-a rostogolit pe podea. Prietenii, rudele și colegii erau în extaz. Și Brunel a fost destul de încântat, fără îndoială. Și-a trăit restul vieții fără niciun fel de complicații din cauza incidentului și, din câte se știe, nu și-a mai băgat niciodată monede în gură.

Menționez toate astea ca să subliniez că gura e un loc periculos. Oamenii se asfixiază mai des decât orice alt mamifer. Păi, na, dacă avem tendința să băgăm în gură tot soiul de lucruri ciudate...

COLECȚIA DE CORPURI STRĂINE A LUI CHEVALIER JACKSON

Corp străin nu înseamnă corp al cuiva din altă țară. Înseamnă ceva din afara corpului care a ajuns în interiorul lui – și care nu ar trebui să fie acolo.

Chevalier Quixote Jackson a fost un medic american care a trăit între anii 1865 și 1958. Era obsedat de obiecte care fuseseră înghițite sau inhalate.

Jackson a pus la punct tot soiul de materiale și tehnici pentru extragerea acestor obiecte. De-a lungul unei cariere care a durat aproape 75 de ani, a colecționat 2.374 de corpuri străine. Această colecție uluitoare se găsește la subsolul Mütter Museum din Philadelphia, SUA. Chiar dacă nu-ți vine să crezi, aceasta include:

- un ceas de mână;
- un rozariu cu crucifix;
- un minibinoclu;
- un lăcățel;
- o trompetă de jucărie;
- o frigare;
- mai multe linguri;
- o cheie pentru radiator;
- un jeton de poker;
- un medalion pe care scrie „Poartă-mă ca să-ți port noroc".

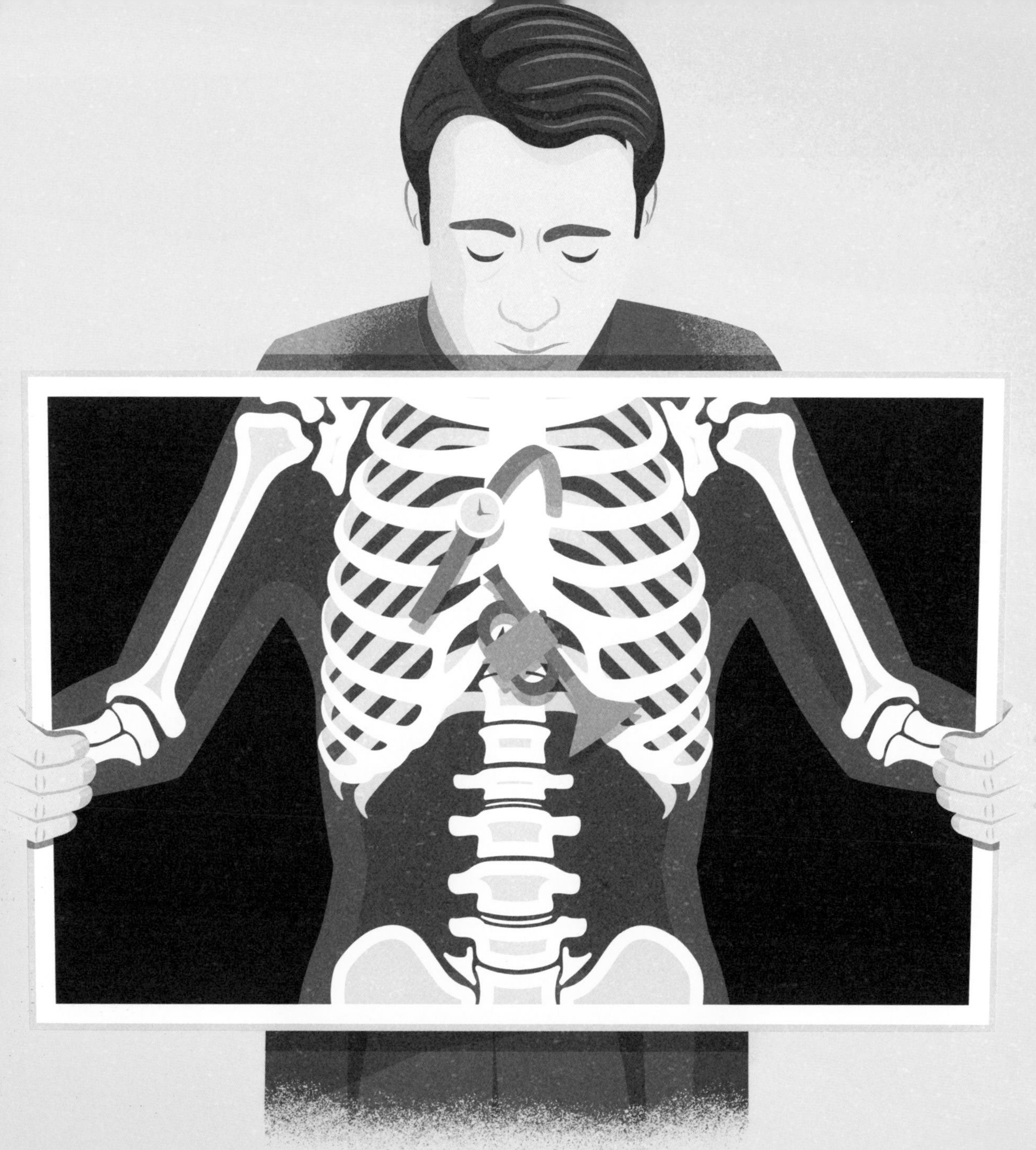

Toată lumea zicea că Jackson nu era tocmai prietenos de felul lui. Dar a consemnat o întâlnire cu o fetiță care fusese adusă la el la consultație. Povestește cum a scos din gâtul ei „o masă cenușie - poate mâncare, poate țesut mort" care o împiedica de câteva zile să înghită.

După aceea, o asistentă i-a pus fetiței la gură un pahar cu apă. Fetița a sorbit cu precauție o gură, iar apa a alunecat pe gât în jos. Prinzând curaj, a luat o înghițitură mai mare. „După aceea", a scris Jackson, „a împins ușor la o parte paharul din mâna asistentei, mi-a apucat mâna și a sărutat-o". Dintre nenumăratele cazuri în care scosese câte ceva din gâtul vreunui pacient, acesta a fost singurul incident ce pare să-l fi mișcat!

Jackson a salvat sute de vieți și i-a învățat pe alții tehnici care le-au permis să salveze multe altele. Dar astăzi nu prea mai știe nimeni de el. Mă rog, măcar tu ai aflat. Acuma lasă jos trompeta aia de jucărie.

VORBIREA

Cine-i cel mai guraliv din clasa ta? Știm cu toții că unora le place să vorbească mai mult decât altora. Dar, pentru ca oricare dintre noi să rostească vreo vorbă, e nevoie de multă coordonare:

- Aerul trebuie să fie expulzat afară din plămâni în reprize mici, exact la momentul potrivit.
- Limba, dinții și buzele trebuie să moduleze aceste expirații astfel încât ele să iasă din gură sub formă de cuvinte, nu de mârâieli.

Capacitatea de a vorbi (și de a ne face înțeleși) nu se datorează doar faptului că avem un creier mare. Și cimpanzeii sunt destul de căpoși. Dar unul dintre motivele pentru care ei nu pot vorbi este că nu sunt capabili să-și miște limba și buzele astfel încât să articuleze sunete complexe.

Durează ceva până înveți să faci asta. Chiar și copiilor de 2-3 ani care știu ce cuvânt vor să folosească le poate veni greu să-l pronunțe corect. De asta par așa de drăgălași când vorbesc (sau așa de enervanți, în funcție de ascultător!).

În vorbire, vedeta este **laringele**. Acesta este în esență o cutie de trei-patru centimetri. În interiorul și în jurul său se află:

- 9 cartilagii;
- 6 mușchi;
- 8 ligamente, printre care două pe care le numim **coarde vocale**.

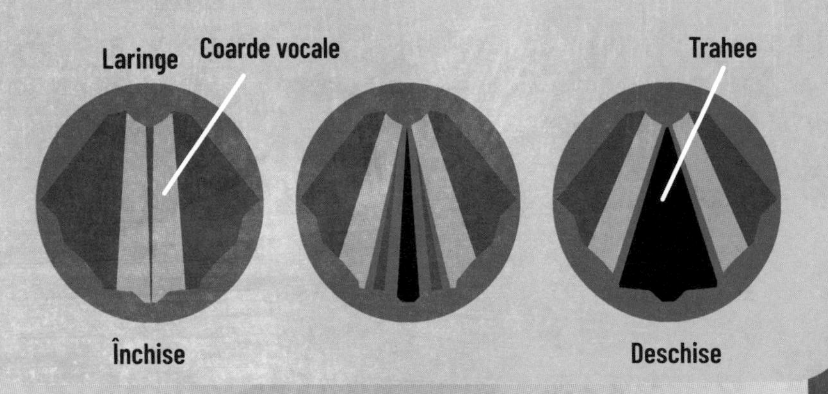

DE LA PLESNET LA CÂNTAT

Când aerul este împins printre coardele vocale, acestea plesnesc și flutură, deschizându-se și închizându-se, asemenea unor steaguri pe vânt puternic. Asta produce diverse sunete, care apoi ajung în gură, unde sunt rafinate.

Bineînțeles, putem face mai multe lucruri, nu doar să vorbim. Putem și să cântăm. Da, pe lângă țeavă pentru mâncare și băutură și tunel aerodinamic, gâtul tău vrednic mai e și instrument muzical!

BÂLBÂIALA

Când realizezi cât de complex e procesul vorbirii, nu este de mirare că unora le vine foarte greu să-l facă să meargă ca pe roate. Cam patru din 100 de copii se bâlbâie. Dar nimeni nu știe ce anume provoacă bâlbâiala, de ce unele persoane se bâlbâie la diferite litere sau de ce mulți bâlbâiți nu au nicio problemă când cântă cuvintele, când vorbesc într-o limbă străină sau când vorbesc singuri.

RESPIRAȚIA

Știm că gâtul funcționează ca tunel aerodinamic. Dar încă nu ne-am uitat la modul cum respiri. Poate crezi că e evident. Însă, ca de atâtea ori când e vorba de corpul tău, cu cât te uiți mai atent, cu atât devine mai ciudat...

În plămâni, bronhiile se ramifică în niște tubulețe mai mici numite **bronhiole**. La extremitatea bronhiolelor sunt situate milioane de **alveole** ca niște ciorchini de struguri. Ele sunt înconjurate de mici vase de sânge.

AERUL INTRĂ...

Dacă aerul pătrunde în corp prin nas, el trece apoi prin cel mai misterios spațiu din cap: **cavitatea nazală**. Este o cavitate enormă, împânzită de o rețea complexă de oase. Fără îndoială, arată impresionant. Dar, dacă mă întrebi de ce există, n-aș putea să-ți zic!

După ce aerul pătrunde prin gură sau prin nas, coboară pe trahee.

Traheea se ramifică în două tuburi, numite **bronhii**. Una ajunge la plămânul stâng și cealaltă la plămânul drept.

Inspiri și expiri zilnic de circa 25 de mii de ori. De fiecare dată când inspiri, inhalezi cam 25 de sextilioane (adică 25.000.000.000.000.000.000.000) de molecule de oxigen.

Brusc, simți că te gâdilă în nas și... hapciu! Tocmai ai dezlănțuit o peliculă de picături care se mișcă cu încetinitorul și care se depun pe oricine se află la mai puțin de vreo opt metri de tine. Ceea ce ar putea lejer să însemne o clasă întreagă.

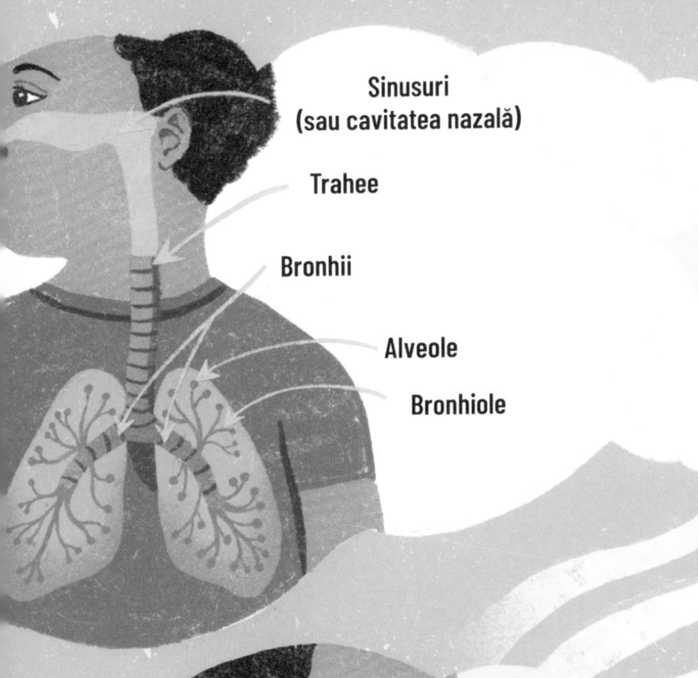

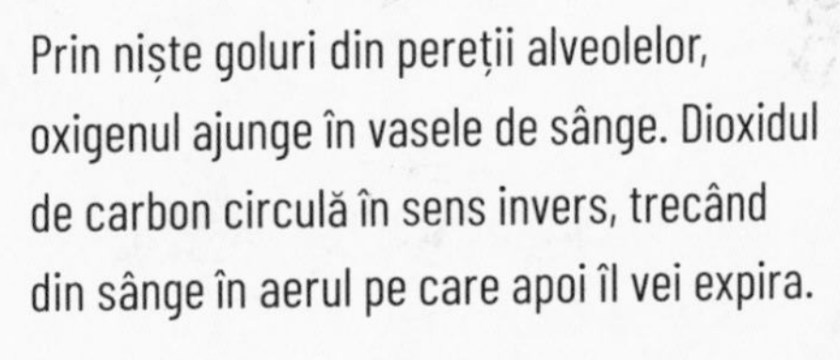

Prin niște goluri din pereții alveolelor, oxigenul ajunge în vasele de sânge. Dioxidul de carbon circulă în sens invers, trecând din sânge în aerul pe care apoi îl vei expira.

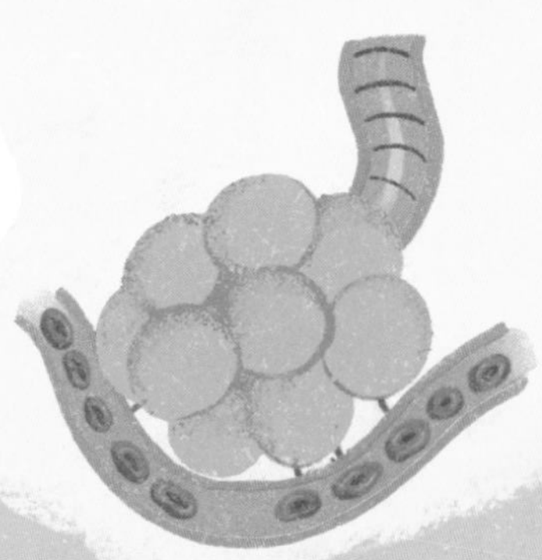

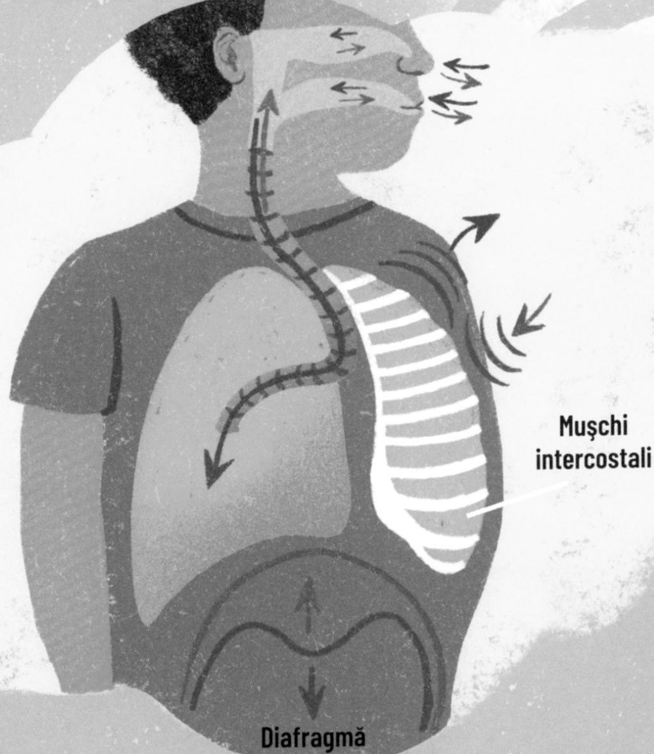

Plămânii tăi nu absorb tot oxigenul din aerul pe care îl inspiri. Aerul pe care îl inhalezi este 21% oxigen (și 0,03% dioxid de carbon). Aerul pe care îl expiri sau îl exhalezi este 16% oxigen (și 4% dioxid de carbon).

CÂND INHALEZI...

Diafragma – un organ muscular localizat chiar sub plămâni – se deplasează în jos. De asemenea, mușchii așezați între coaste (care se numesc **mușchi intercostali**) îți trag coastele în sus și spre exterior. Când pieptul tău se dilată, aerul este aspirat înăuntru.

CÂND EXHALEZI...

Diafragma și mușchii intercostali se relaxează. Pe măsură ce spațiul din piept se diminuează, aerul este împins afară din plămâni.

NU-ȚI ȚINE RĂSUFLAREA!

Noi, ființele umane, nu prea ne pricepem să ne ținem răsuflarea. Plămânii noștri pot conține cam șase litri de aer, dar în mod normal inspirăm doar vreo jumătate de litru o dată.

Intervalul cel mai lung cât și-a ținut răsuflarea un om de bunăvoie a fost de 24 de minute și trei secunde. Aleix Segura i Vendrell din Spania a reușit asta într-o piscină din Barcelona în februarie 2016. Însă asta după ce a respirat oxigen pur pentru o vreme. Și a trebuit să stea întins, nemișcat, în apă cât și-a ținut răsuflarea. Deși 24 de minute pare impresionant, o focă ar fi de altă părere. Unele foci pot sta sub apă două ore.

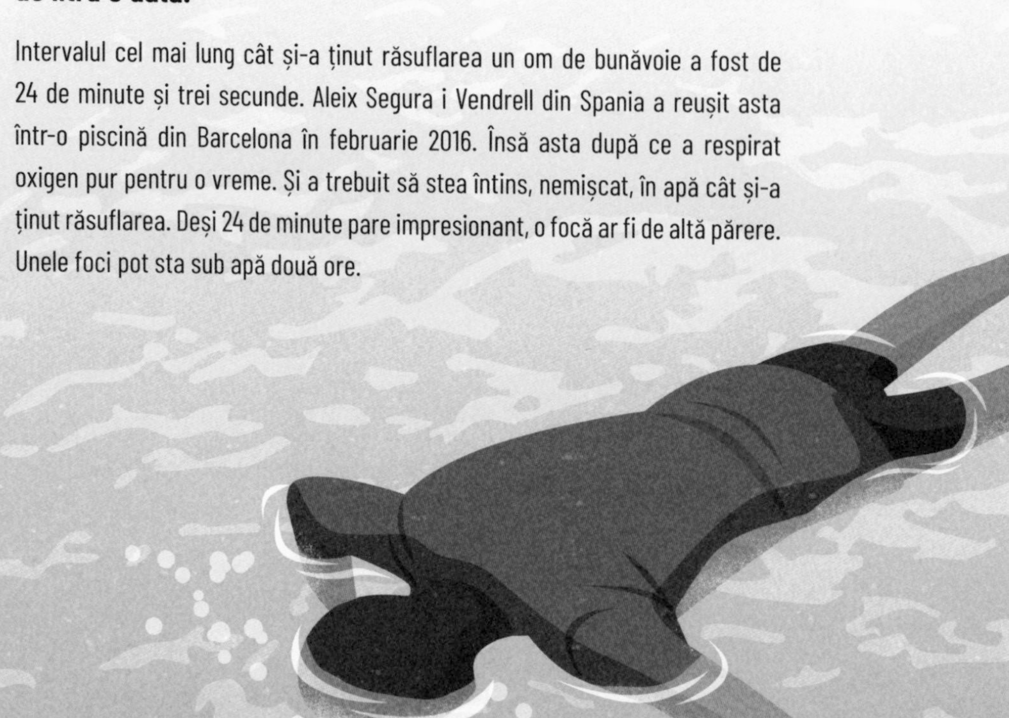

Când simți nevoia să tragi aer în piept, acest lucru nu e cauzat de o lipsă a oxigenului, ci de acumularea de dioxid de carbon în sângele tău. De asta primul lucru pe care îl faci după ce ți-ai ținut răsuflarea este să expiri cu putere.

ASTMUL

Cam 300 de milioane de persoane din întreaga lume suferă de astm. Este mai frecvent la copii decât la adulți. Dintr-o clasă medie de 30 de copii, cinci au astm.

CE ESTE ASTMUL?

În timpul unei crize de astm, căile respiratorii se îngustează. Bolnavul manifestă greutate în inspirarea sau (mai ales) evacuarea aerului din plămâni.

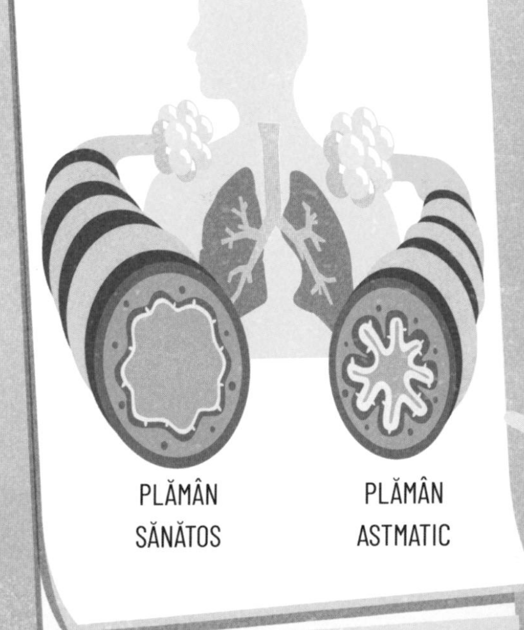

CE ÎL CAUZEAZĂ?

Îi dau legătura lui Neil Pearce, profesor și specialist în astm la London School of Hygiene and Tropical Medicine:

„Crezi probabil că astmul este cauzat de acarieni, pisici, chimicale, fumul de țigară sau poluanții din aer. Eu am studiat astmul timp de 30 de ani și principalul lucru pe care l-am realizat a fost să demonstrez că, în realitate, aproape niciunul dintre aceste lucruri nu provoacă astm. Pot să le provoace crize de astm celor care suferă deja de această boală, dar nu reprezintă cauza ei. Știm foarte puține despre posibilele cauze principale ale astmului. Nu putem face nimic pentru a-l preveni."

Vârsta la care astmul apare cel mai frecvent este cam 13 ani.

E limpede că, pentru doctori, astmul e greu de înțeles. Deși în general credem că lucrurile pe care le inspirăm declanșează crizele de astm, există și cazuri în care, dacă bolnavii își bagă picioarele într-o găleată cu apă rece ca gheața, încep imediat să respire greu.

SOMNUL

Dormitul este cea mai misterioasă dintre activitățile noastre. Ne petrecem o treime din viață dormind și știm că are o importanță vitală; doar că nu știm exact de ce facem asta.

E limpede că somnul înseamnă mult mai mult decât odihnă. Nici măcar hibernarea nu este un înlocuitor pentru somn. Un animal care hibernează nu este conștient; nu își dă seama de realitatea înconjurătoare. Însă, chiar și în timp ce hibernează, tot are câteva ore de somn propriu-zis în fiecare zi.

DECI CE ESTE SOMNUL?

În fiecare noapte, trecem ciclic prin diferite faze ale somnului, în mod repetat. La copii, un ciclu durează între aproximativ 45 de minute și o oră. La adulți, ciclul de somn durează cam o oră și jumătate.

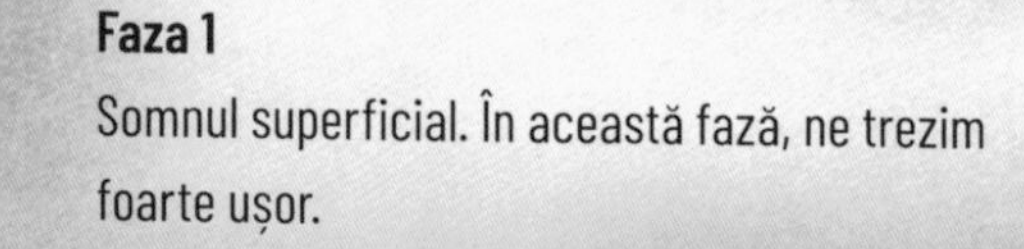

Faza 1

Somnul superficial. În această fază, ne trezim foarte ușor.

Faza 2

Mușchii tăi se relaxează mai mult. Dacă un om de știință ți-ar monitoriza creierul, ar începe să vadă activitate cu unde lente. Cu alte cuvinte, creierul tău este străbătut de unde lente de activitate electrică.

Faza 3

Somnul profund cu unde lente. În acest punct, s-ar putea să nu te trezești nici măcar dacă ar lătra un câine în dormitorul tău. O parte din vise au loc în această fază.

În timpul nopții suntem mai agitați decât se crede în general. O persoană obișnuită se întoarce de pe o parte pe alta sau își schimbă poziția de 30-40 de ori pe noapte.

Unele păsări și mamifere marine sunt capabile să-și dezactiveze câte o emisferă cerebrală pe rând, astfel încât una din emisfere rămâne trează cât timp cealaltă doarme.

CRED CĂ VISEZI!

De ce ni se mișcă ochii în faza REM? O idee este că ne „vizionăm" visele. Unele vise sunt distractive, dar altele pot fi terifiante. Însă cercetările recente sugerează că visele urâte au și ele un scop: acestea par să ne facă mai puțin temători când suntem în stare de veghe. Oamenii de știință cred că visele urâte ar putea funcționa ca un fel de jocuri în realitatea virtuală, antrenându-te să faci față unor situații diverse, de la o hoardă de zombi care se îndreaptă spre tine până la urgia profesorului tău când se înfurie – care-o fi fiind mai îngrozitoare.

Bebelușii și copiii petrec mai multe ore pe noapte decât adulții în somn REM. De fapt, își petrec mai mult timp dormind. Până la 3 ani, un copil și-a petrecut o parte mai mare din viață dormind decât treaz. Oamenii de știință cred așadar că somnul – și mai ales somnul REM – este probabil important pentru dezvoltarea sănătoasă a creierului.

Iată recomandările legate de somn ale Serviciului național de sănătate din Regatul Unit în cazul copiilor:

- copiii de 3-5 ani: 10-13 ore, cu tot cu somnul din timpul zilei;
- copiii de 6-12 ani: 9-12 ore;
- adolescenții de 13-18 ani: 8-10 ore.

Somnul REM

REM înseamnă *rapid eye movement* (mișcări rapide ale ochilor). Majoritatea viselor au loc în timpul somnului REM. După somnul REM, ciclul se repetă, luând-o de la capăt cu faza 1.

Sfaturi importante ca să dormi mai bine:

- Nu folosi ecrane în dormitor.
- Ai grijă ca în dormitor să fie întuneric și liniște.
- Dacă trece lumină prin draperii, întreabă-i pe adulții din viața ta dacă n-ar putea cumpăra unele mai groase.
- Reglează temperatura camerei cam între 16 și 20 °C.

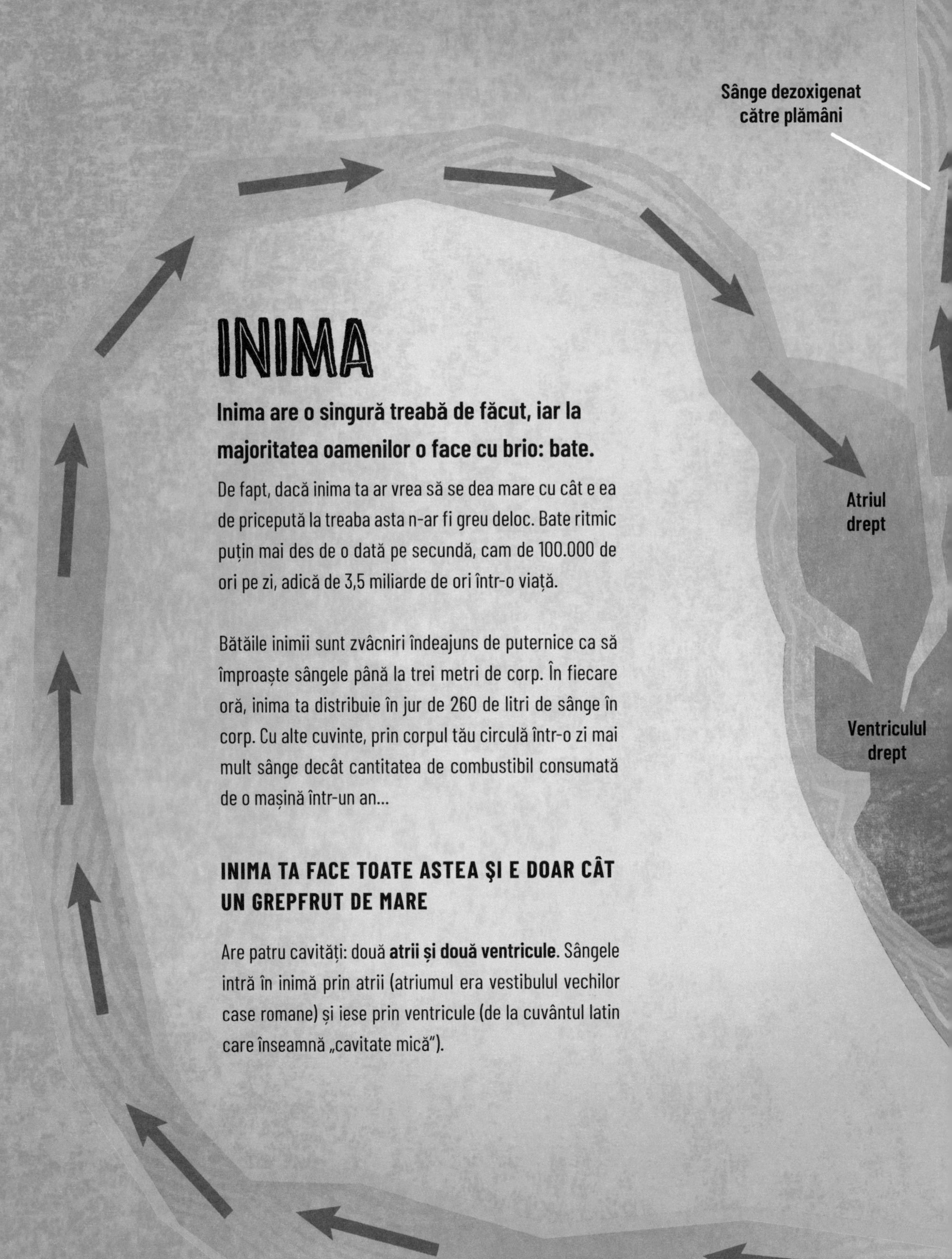

INIMA

Inima are o singură treabă de făcut, iar la majoritatea oamenilor o face cu brio: bate.

De fapt, dacă inima ta ar vrea să se dea mare cu cât e ea de pricepută la treaba asta n-ar fi greu deloc. Bate ritmic puțin mai des de o dată pe secundă, cam de 100.000 de ori pe zi, adică de 3,5 miliarde de ori într-o viață.

Bătăile inimii sunt zvâcniri îndeajuns de puternice ca să împroaște sângele până la trei metri de corp. În fiecare oră, inima ta distribuie în jur de 260 de litri de sânge în corp. Cu alte cuvinte, prin corpul tău circulă într-o zi mai mult sânge decât cantitatea de combustibil consumată de o mașină într-un an...

INIMA TA FACE TOATE ASTEA ȘI E DOAR CÂT UN GREPFRUT DE MARE

Are patru cavități: două **atrii și două ventricule**. Sângele intră în inimă prin atrii (atriumul era vestibulul vechilor case romane) și iese prin ventricule (de la cuvântul latin care înseamnă „cavitate mică").

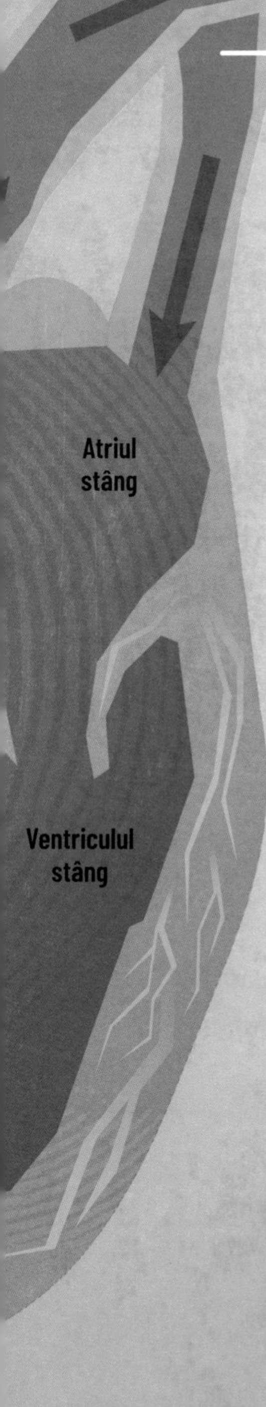

Sânge oxigenat de la plămâni

Atriul stâng

Ventriculul stâng

Sângele se întoarce din corp în inimă prin vene, intrând în atriul drept și fiind pompat în ventriculul drept. Apoi ventriculul drept îl pompează către plămâni ca să scape de dioxidul de carbon din el și să se încarce cu oxigen.

După aceea sângele se întoarce de la plămâni la inimă, intrând prin atriul stâng. Ventriculul stâng îl pompează în artere, ca să ajungă în tot corpul.

FIECARE BĂTAIE A INIMII ARE DOUĂ FAZE:

- **sistola** - când musculatura inimii se contractă și expulzează sângele;
- **diastola** - când inima se relaxează și se umple din nou cu sânge.

Tensiunea arterială este diferența dintre aceste două faze. Să zicem că avem o valoare a tensiunii arteriale de „120/80" (pe care o citim „12 cu 8"). Asta înseamnă că 120 reprezintă cea mai mare presiune pe care sângele o exercită asupra vaselor de sânge (când inima împinge sângele) și 80 este cea mai mică (atunci când inima se relaxează).

VASELE DE SÂNGE

- **Arterele asigură circulația sângelui frumos oxigenat de la inimă prin tot corpul.**
- **Venele asigură circulația sângelui înapoi la inimă.**

Arterele și venele sunt destul de mărișoare. Ca să ajungă prin toate cotloanele corpului, avem și niște vase capilare microscopice care se ramifică din ele. Capilarele sunt cele care alimentează celulele cu oxigen și colectează dioxidul de carbon.

VINDECAREA INIMII

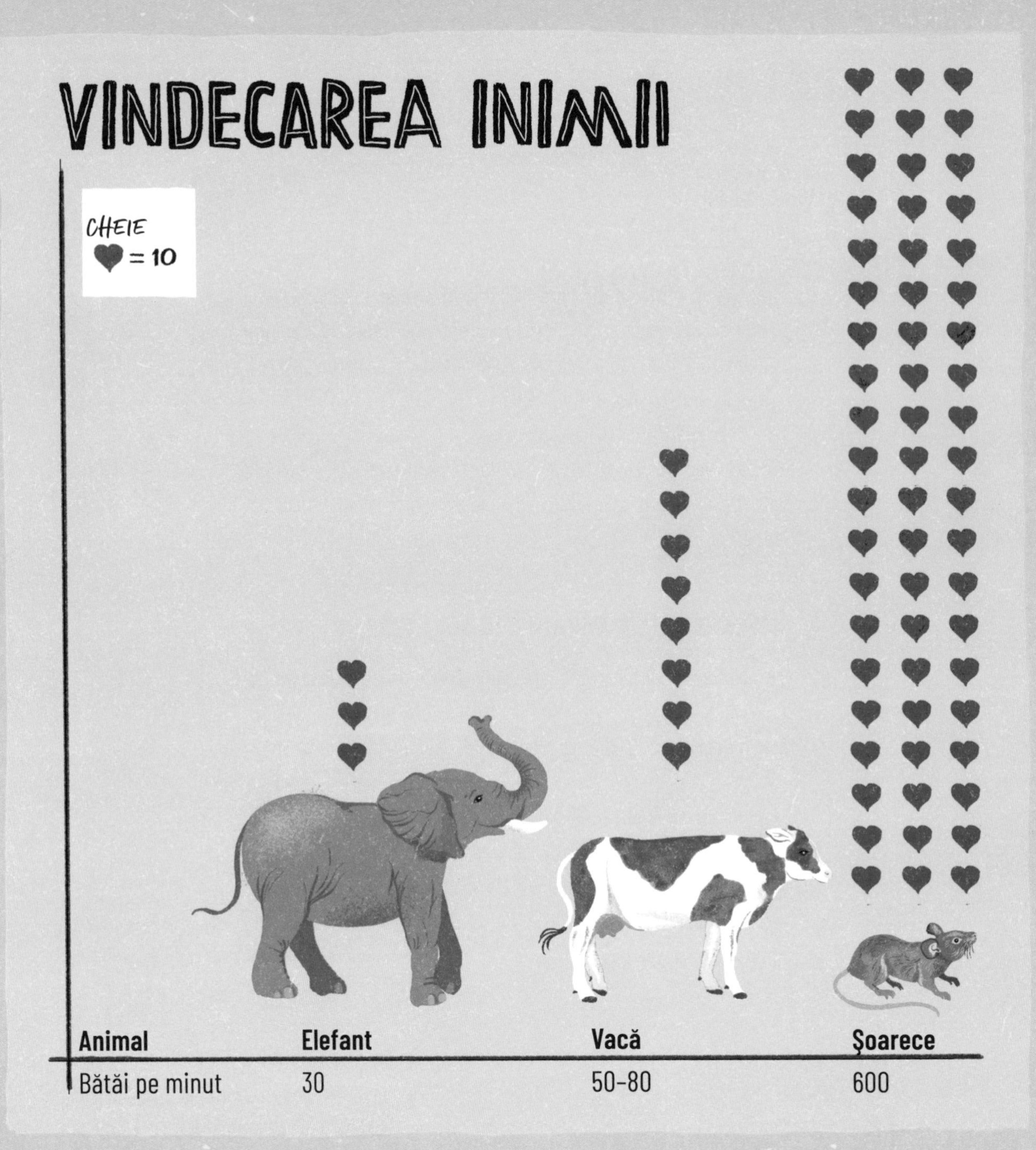

Animal	Elefant	Vacă	Şoarece
Bătăi pe minut	30	50–80	600

RITMURILE CARDIACE

Deși diverse mamifere pot avea ritmuri cardiace foarte diferite, în mod cam bizar, inima tuturor bate în medie cam de 800 de milioane de ori de-a lungul vieții.

Inima tuturor – dar cu o excepție: noi, ființele umane. Pe la 25 de ani noi depășim limita de 800 de milioane de bătăi ale inimii – iar dacă avem noroc, mai trăim vreo cincizeci de ani și inima ne mai bate de încă aproximativ 1,6 miliarde de ori.

Ca să ajungă la această cifră impresionantă, inima unora are nevoie de ajutor. Persoanele respective trebuie să ia medicamente. Altele trebuie să facă o operație ca să rezolve problemele. Iar povestea modului în care a luat naștere cardiologia modernă conține niște întâmplări extraordinare.

WERNER FORSSMANN

În 1929, Forssmann, un doctor tânăr, proaspăt absolvent, s-a întrebat dacă ar fi posibil să ajungă direct la inimă cu ajutorul unei sonde subțiri de plastic. Fără să aibă nici cea mai vagă idee care vor fi consecințele, și-a introdus un cateter într-o arteră din braț. A împins și a tot împins, până când capătul cateterului a pătruns în inimă. Apoi și-a dat seama că are nevoie de o dovadă a ceea ce făcuse; așa că, având încă tubulețul în inimă, s-a dus calm în altă secție a spitalului, ca să-și facă o radiografie. Procedura lui Forssmann avea în cele din urmă să revoluționeze chirurgia cardiacă.

JOHN H. GIBBON

În anii 1930, Gibbon s-a hotărât să încerce să construiască un aparat care să preia funcția de oxigenare a sângelui unui pacient în timp ce era operat pe inimă. Pentru asta, trebuia să afle cât se pot dilata vasele de sânge profunde (ca să lase să treacă mai mult sânge) și cât se pot contracta (ca să lase să treacă mai puțin sânge). Ca parte a cercetării sale, el și-a introdus un termometru în rect și a înghițit un tub care i-a ajuns în stomac și apoi a cerut să se toarne prin el apă rece ca gheața, ca să vadă ce se întâmplă. În 1953, după 20 de ani de muncă și multă apă rece înghițită eroic, a realizat ceea ce își propusese: a prezentat primul „aparat de circulație extracorporală" din lume.

CHRISTIAAN BARNARD

Barnard a fost un chirurg din Cape Town, Africa de Sud. În 1967, a condus echipa care a realizat primul transplant de inimă la om. Inima unei femei care murise într-un accident de mașină a fost transplantată în pieptul unui bărbat de 54 de ani pe nume Louis Washkansky. Acesta a murit după doar 18 zile. Dar cu timpul procedura s-a tot perfecționat, iar în prezent se realizează anual cam 4.000 de transplanturi de inimă. Cu inima lor nouă, acești pacienți trăiesc în medie încă 15 ani.

CE MAI URMEAZĂ?

O inimă oferită cuiva care are nevoie se numește **inima donatorului**. Însă nu se donează suficiente inimi umane ca să ajungă pentru toți oamenii care au nevoie de ele. Unii oameni de știință cred că soluția este să se folosească inimi de animale. În 2022, un bărbat de 57 de ani pe nume David Bennett a devenit prima persoană care a primit o inimă de porc. Oamenii de știință modificaseră ADN-ul porcului donator pentru a ajuta sistemul imunitar al lui Bennett să-l accepte. Din păcate, bărbatul a murit după două luni. Doctorii cred că de vină se poate să fi fost un virus pe care l-au descoperit ulterior în inima de porc.

SÂNGE, SÂNGE, SÂNGE GLORIOS

Cum procedezi cu cineva care este grav bolnav? Păi, oricât ar părea de alarmant, pe vremuri îi făceai o tăietură ca să lași să se scurgă niște sânge.

Sigur, astăzi nu mai facem așa ceva. Dar această idee bizară a reprezentat înțelepciunea medicală un timp extraordinar de îndelungat. Luarea de sânge era considerată nu doar un tratament pentru boli, ci și o modalitate de a calma pe cineva. Și toată lumea se supunea, chiar și cei de os regesc.

- Lui Frederic cel Mare al Prusiei i se lua sânge înainte de a merge la luptă pentru a-i domoli stresul.
- Vasele folosite în cadrul acestei intervenții – în care se aduna sângele – erau prețuite în familie și transmise din generație în generație!

Dar nimeni nu a fost așa de obsedat de toate astea ca...

PRINȚUL SÂNGERĂRILOR

Cel mai renumit practician al luării de sânge a fost un american pe nume Benjamin Rush (supranumit Prințul Sângerărilor) care a trăit în secolul al XVIII-lea. El era convins că toate bolile sunt cauzate de supraîncălzirea sângelui și credea că această metodă răcorește sângele. Era un adept atât de înfocat al luării de sânge, încât le scotea victimelor sale chiar și câte doi litri de sânge odată. Uneori le lua sânge și de două-trei ori pe zi.

Din nefericire, el credea că:

A. Organismul uman conține de două ori mai mult sânge decât în realitate.

B. Poate extrage cam 80% din sângele cuiva fără să provoace efecte negative.

Cred că poți să-ți dai seama ce înseamnă asta...

Dar nu s-a oprit. În timpul unei epidemii de febră galbenă din Philadelphia a luat sânge de la sute de victime, fiind convins că îi salvase pe mulți. În realitate, departe de a-i salva, pur și simplu nu reușise să-i omoare pe toți.

În 1813, când avea 67 de ani, Rush a făcut febră. Văzând că nu-i trece, le-a cerut medicilor care-l îngrijeau să-i ia sânge, ceea ce au și făcut. Iar el a murit.

Abia prin 1900 au început doctorii să dezvolte o perspectivă mai modernă asupra sângelui. Totul a început cu o descoperire făcută de un tânăr cercetător din Viena pe nume Karl Landsteiner.

Landsteiner a observat că, atunci când amesteca sânge provenit de la persoane diferite, uneori se aglutina (ceea ce nu era bine) și alteori nu (ceea ce era bine). După ce și-a notat cu atenție care combinații se aglutinau și care nu, a descoperit că există trei grupe sangvine principale. Astăzi, știm că ele se numesc A, B și 0.

Doi cercetători care lucrau la laboratorul lui și-au dat seama că mai există o grupă: AB.

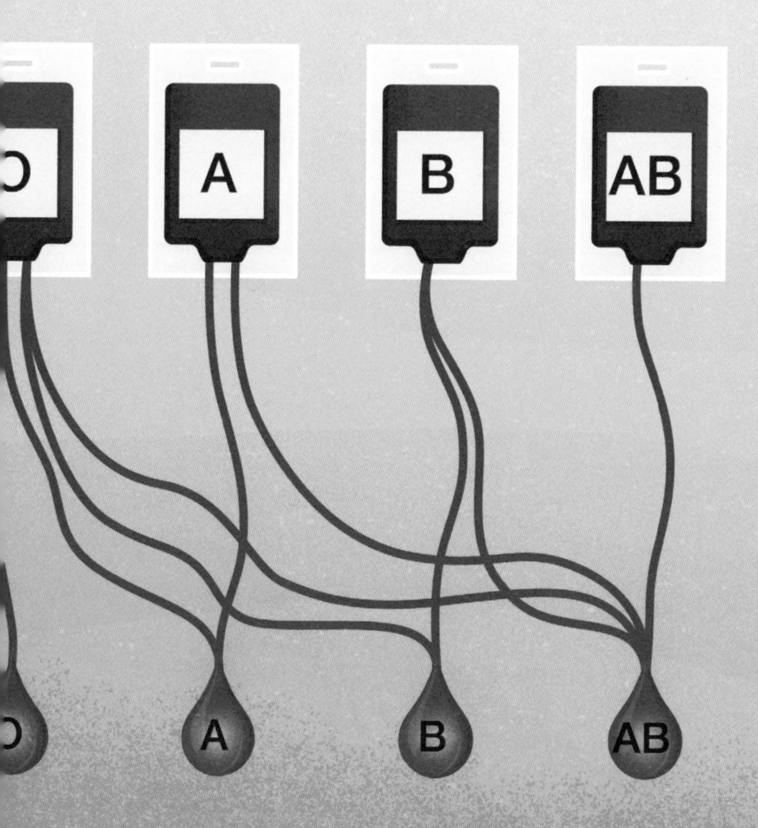

Iată cum funcționează grupele sangvine:

- În interior, toate celulele sângelui sunt la fel. Dar persoanele cu grupa sangvină A au pe suprafața acestor celule o proteină „A". Persoanele cu grupa B au proteina de tip „B". Cele cu grupa AB le au pe amândouă. Persoanele cu grupa 0 nu au niciuna.
- Sistemul tău imunitar știe ce proteine-cheie ar trebui să aibă celulele tale la exterior. Dacă identifică proteine străine (adică proteine caracteristice altei grupe sangvine), atacă celulele respective - iar asta cauzează aglutinarea.

Descoperirea grupelor sangvine a explicat de ce transfuziile dăduseră adesea greș până atunci: pentru că persoana ce dona sânge și cea care îl primea aveau grupe de sânge diferite. A fost o descoperire de o importanță extraordinară.

Doctorii au realizat că:

- Persoanele cu grupa A le pot dona fără riscuri sânge celor cu grupa A sau AB, dar nu și celor cu grupa B.
- Persoanele cu grupa B le pot dona celor cu grupa B sau AB, dar nu și celor cu A.
- Persoanele cu grupa AB le pot dona sânge doar celor cu aceeași grupă.
- Persoanele cu grupa 0 pot dona tuturor. De aceea, se numesc **donatori universali**.

INFORMAȚII LA SÂNGE

Știm cu toții că sângele transportă oxigen la celule.
Dar el face mult mai mult decât atât:

- distribuie **hormoni** (molecule care livrează mesaje în tot organismul – o să-i analizăm îndată) și alți compuși chimici vitali;
- elimină toxine;
- transportă agenți ai sistemului imunitar care identifică și ucid invadatori periculoși;
- se asigură că primesc oxigen acele părți ale corpului care au cea mai mare nevoie de el (cum ar fi mușchii picioarelor când alergi);
- reglează temperatura corpului, ca să nu te răcești ori să nu te încingi prea tare.

Hemoglobina este o proteină eroină care, în mod straniu, tânjește după ceva extrem de periculos: monoxid de carbon. Dacă are la îndemână monoxid de carbon, hemoglobina se va umple cu el până la refuz, ca un tren în care se înghesuie pasagerii la ora de vârf, lăsând oxigenul pe peron. Acesta e motivul pentru care monoxidul de carbon poate ucide – pentru că prin corp nu mai circulă suficient oxigen.

SÂNGELE ARE PATRU COMPONENTE PRINCIPALE:

Nume: globule roșii
Reprezintă 44% din volumul sangvin

O linguriță de sânge uman conține cam 25 de *miliarde* de globule roșii. Iar toate au o singură funcție: să livreze oxigen. Ele îl transportă în tot corpul folosind o proteină numită **hemoglobină**. Fiecare globulă roșie trăiește aproximativ patru luni. În acest interval, circulă prin tot corpul de circa 150.000 de ori, parcurgând aproximativ 160 de kilometri până devine prea epuizată ca să mai continue.

Nume: globule albe
Reprezintă sub 1% din volumul de sâ

Aceste celule constituie o parte vitală a sistemului imunitar. Au un rol în procesul de apărare a organismului împotriva agenților infecțioși. De fapt, sunt atât de importante și de incredibile, încât merită mult mai mult decât să fie menționate pe scurt. Le vom trata cum se cuvine la pagina 108. Pentru moment, este suficient să știi că ai mult mai puține globule albe decât roșii.

Nume: trombocite
Reprezintă sub 1% din volumul sangvin

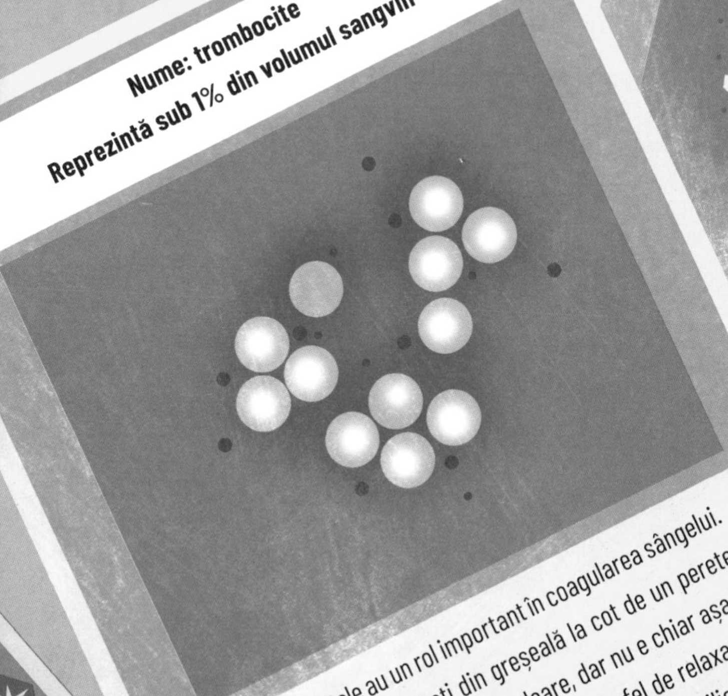

Trombocitele au un rol important în coagularea sângelui. Să zicem că te julești din greșeală la cot de un perete. Poate că tu îți zici: mă cam doare, dar nu e chiar așa de rău. Dar trombocitele tale nu vor fi la fel de relaxate. În jurul rănii (mă rog, al juliturii) se vor aduna milioane de trombocite. În același timp, o proteină din sângele tău se va transforma într-o proteină mai rezistentă numită **fibrină**. Trombocitele se combină cu fibrina, formând împreună un fel de dop, care astupă rana și devine o **coajă**. (a) Aceasta îți oprește sângerarea și (b) este practic imposibil să n-o jupești (dar încearcă să te abții).

Nume: plasmă
Reprezintă puțin peste 50% din volumul sangvin

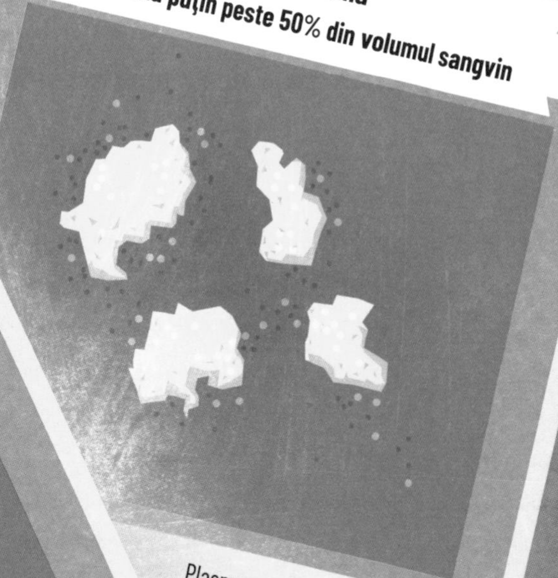

Plasma este formată din 90% apă, dar conține și niște lucruri vitale, inclusiv proteine care ajută sângele să se coaguleze.

De ce are caca o culoare maro? În principal din cauza celor 100 de miliarde de globule roșii moarte pe care trebuie să le elimini în fiecare zi.

DEPARTAMENTUL DE CHIMIE

Situată la baza creierului tău, în spatele ochilor, este o glandă cam cât o boabă de fasole. O fi glanda pituitară mică, dar poate avea efecte – literalmente – uriașe.

Robert Wadlow, din Alton, SUA, este cel mai înalt om care a trăit vreodată. Un băiat sfios și vesel, la 8 ani era mai înalt decât tatăl său (care avea o înălțime medie), la 12 ani avea 2,10 metri, iar când a terminat liceul, avea peste 2,40 metri. Când a murit, la 22 de ani, ajunsese la o înălțime de 2,72 metri. (Nu creșterea lui continuă l-a ucis, ci o infecție care o pornit de la picior.) Wadlow a fost foarte iubit. Deși a murit tocmai în 1936, cei din orașul lui natal încă îl amintesc cu drag.

O afecțiune a glandei pituitare (numită și hipofiză) l-a făcut pe Wadlow să crească fără oprire. Aceasta este adesea numită **glanda supremă** pentru că are o mare influență asupra atâtor lucruri. Dar una dintre funcțiile sale este să producă **hormon de creștere**, al cărui nume este grăitor – iar în corpul lui Wadlow exista mult mai mult hormon de creștere decât în mod normal.

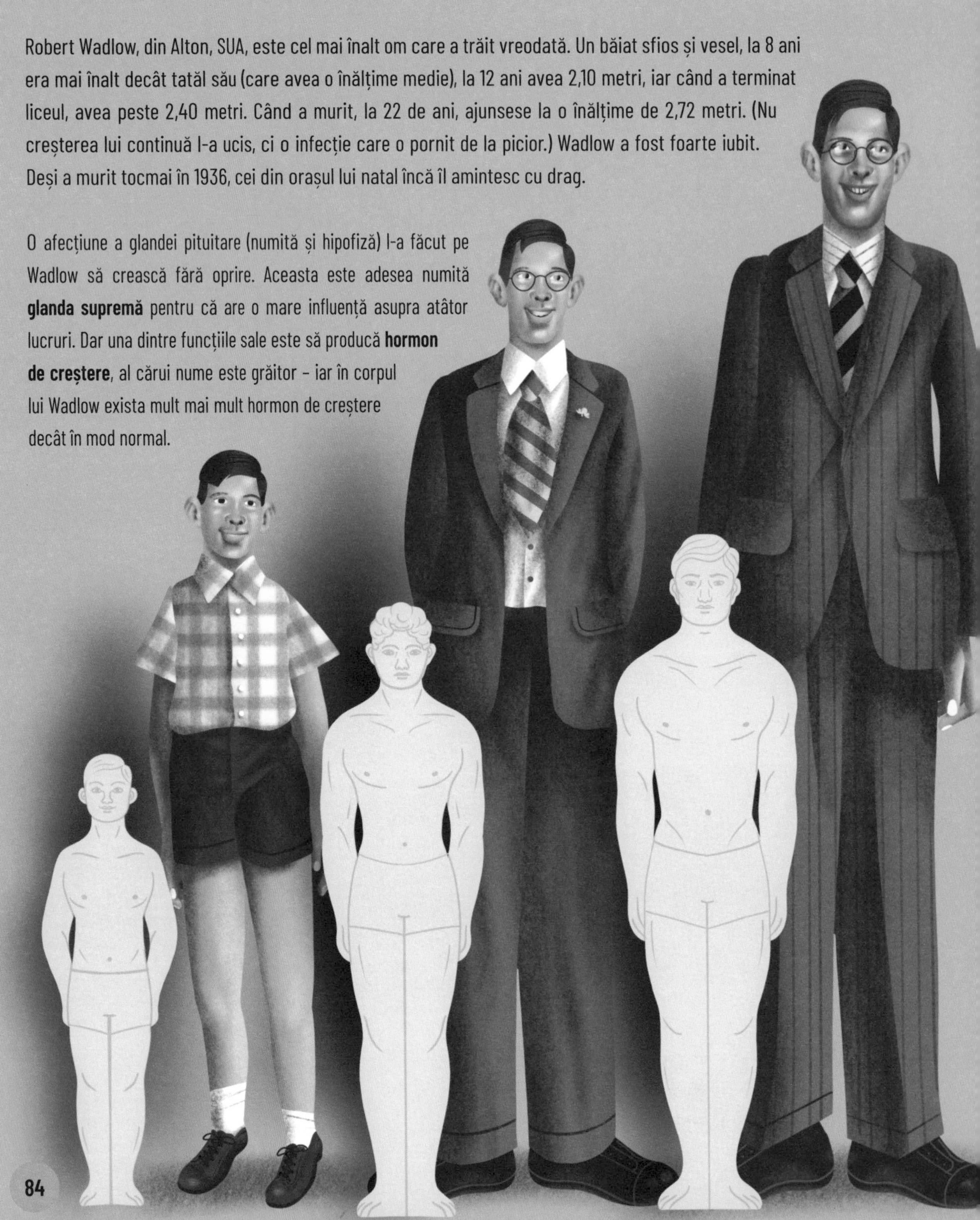

Hormonii sunt mesaje chimice. Ei sunt vehiculați în tot organismul, făcând să se întâmple lucruri. Deși glanda pituitară este un hub de hormoni foarte important, mai sunt și altele, răspândite prin tot corpul.

Dacă aș enumera toți hormonii din corpul tău și ce fac ei, în scurt timp te-ar lua somnul. Nu crezi? Bine, o să încep cu unii dintre hormonii principali și mai vedem cât reziști...

Melatonină: Ți-e somn? S-ar putea să fie din cauză că ai citit prea mult despre hormoni. Sau poate pentru că nivelurile tale de melatonină sunt în creștere, cum se întâmplă pe parcursul zilei.

Glanda pituitară

Oxitocină: Simți căldură și răsfăț? S-ar putea să fie pentru că oxitocina te ajută să te simți atașat de altă persoană.

Vasopresină: Ți-e foarte sete? S-ar putea să fie din cauza deshidratării organismului, care activează acest hormon, ce împiedică organismul să piardă prea multă apă prin pipi.

Adrenalină: Te simți energizat și gata de acțiune? Starea aceasta ar putea fi pusă pe seama adrenalinei care îți stimulează inima, ce îți pompează sângele. Asta îi ajuta pe strămoșii noștri să lupte cu atacatorii – ori să fugă. Dar, dacă te temi de altceva, cum ar fi o lucrare importantă, s-ar putea să simți și atunci adrenalina în corp.

Glandele suprarenale

PUBERTATEA

Pubertatea este perioada vieții când corpul copilului se transformă în corp de adult. Asta nu se petrece cât ai clipi, așa cum se transformă Peter Parker în Omul-Păianjen. Transformările durează în general cam patru ani. De obicei, iată ce se întâmplă:

La fete:

- Se dezvoltă sânii.
- Ovarele încep să formeze ovule. În timpul ciclului menstrual, uterul se pregătește pentru sarcină, iar dacă nu se întâmplă asta, mucoasa uterină se rupe, iar fata are menstruație. Ciclul menstrual complet durează aproximativ 28 de zile.

La băieți:

- Testiculele încep să producă spermatozoizi. Laringele crește, făcând vocea să se îngroașe. Pe față și pe corp crește păr, iar corpul devine mai musculos.

Hormonii au funcția de coordonare a pubertății, ceea ce înseamnă că o fac să survină. Câțiva hormoni cu adevărat importanți pentru pubertate sunt:

- **Estrogenul**. Secretat de ovare. Controlează dezvoltarea sânilor și are un rol important în ciclul menstrual.

- **Testosteronul**. Produs în testicule. Controlează dezvoltarea penisului și a testiculelor („aparatul genital masculin"), precum și părul facial și pubian. Este responsabil și pentru îngroșarea vocii.

Este adevărat că pubertatea poate fi dificilă. Dar uite prin câte transformări trece corpul în această perioadă. Și nu uita că și creierul încă se dezvoltă. Dacă ți se pare că pubertatea seamănă cu un soi de carusel emoțional, vorbește cu un adult în care ai încredere despre ceea ce simți. Nu uita că și adulții din viața ta au trecut prin pubertate!

Oamenii de știință nu sunt siguri de ce, începând de la pubertate, și fetelor, și băieților li se îndesește părul în regiunea pubiană și la subrațe. O idee este că părul le indică altora că suntem la pubertate. Sigur, putem alege să evităm să transmitem acest semnal... ei bine, purtând haine.

Este absolut normal ca pubertatea să înceapă între 8 și 14 ani. Iar transformările au loc mai rapid la unii decât la alții. Așa că nu-ți face griji dacă tu treci prin pubertate mai târziu sau mai lent decât prietenii tăi.

Corpurile și creierele se pot dezvolta în diferite moduri. Iar deși eu vorbesc despre „băieți" și „fete", nu toți vor avea organe genitale pe măsura așteptărilor obișnuite.

FICATUL

UIMITORUL LABORATOR AL CORPULUI

Tu ce știi despre ficatul tău? Nu prea multe?

Sper că el nu se va simți foarte jignit dacă nu știi prea multe, dat fiind că muncește pentru tine zi și noapte, făcând tot soiul de treburi vitale. Practic, dacă ți s-ar bloca brusc ficatul, ai muri în doar câteva ore.

Ficatul tău este în esență laboratorul corpului. Chiar în acest moment cam un *sfert* din sângele tău se află în ficat, ce are grijă de el într-un fel sau altul.

Printre altele, ficatul tău:

- Stochează și absoarbe vitamine.
- Descompune globule roșii îmbătrânite și uzate. Le păstrează fierul (care provine din hemoglobină) ca să-l recicleze, folosindu-l ca să producă hemoglobină pentru noi globule roșii.

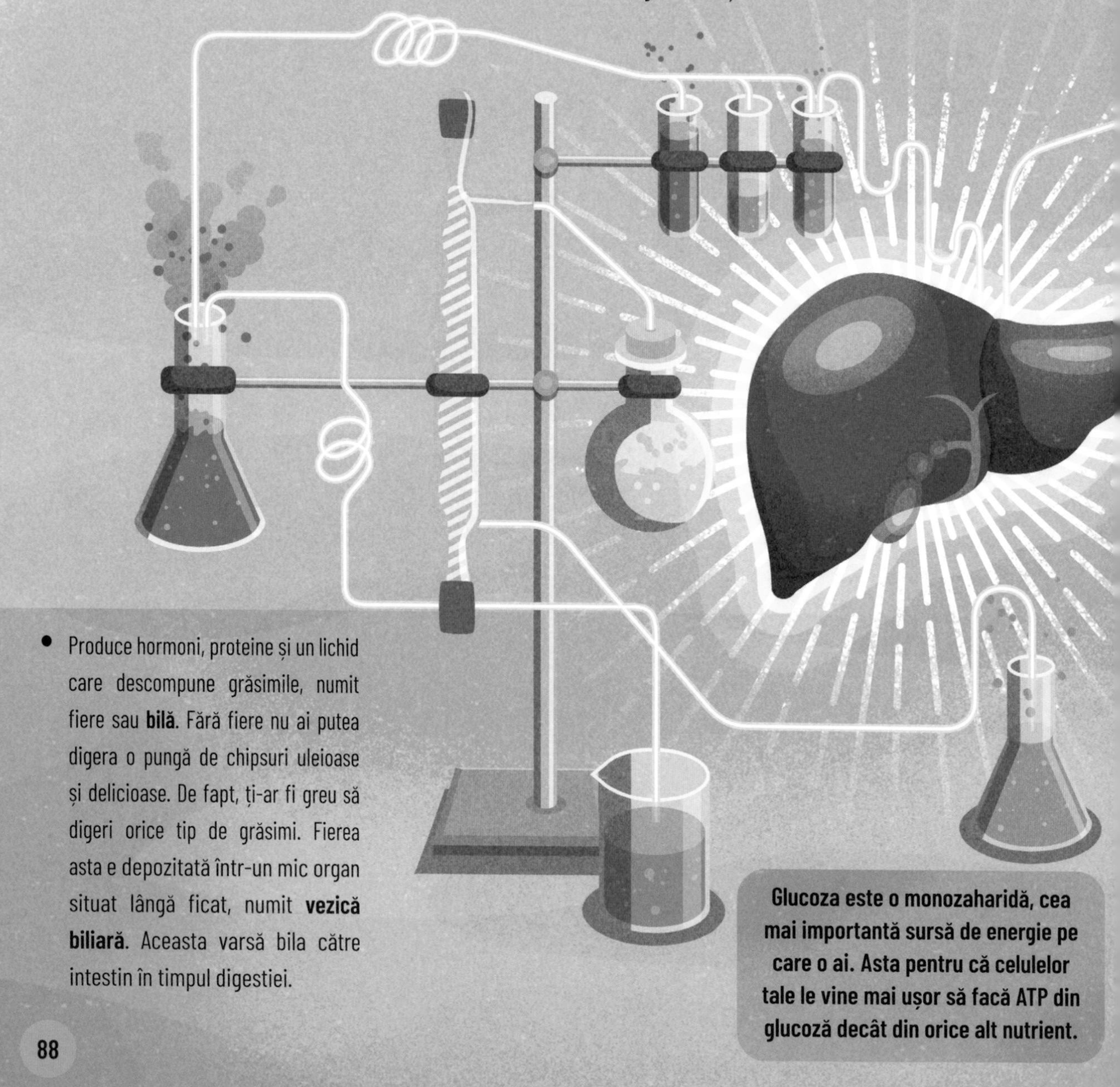

- Produce hormoni, proteine și un lichid care descompune grăsimile, numit fiere sau **bilă**. Fără fiere nu ai putea digera o pungă de chipsuri uleioase și delicioase. De fapt, ți-ar fi greu să digeri orice tip de grăsimi. Fierea asta e depozitată într-un mic organ situat lângă ficat, numit **vezică biliară**. Aceasta varsă bila către intestin în timpul digestiei.

Glucoza este o monozaharidă, cea mai importantă sursă de energie pe care o ai. Asta pentru că celulelor tale le vine mai ușor să facă ATP din glucoză decât din orice alt nutrient.

Multe animale au vezică biliară, dar sunt și multe care nu au. În cazul girafelor, în mod bizar, unele posedă vezică biliară, iar altele nu.

Ce are ficatul tău în comun cu:

- o râmă;
- Wolverine;
- un axolotl?

Răspuns:

Capacitatea de a regenera părți lipsă.

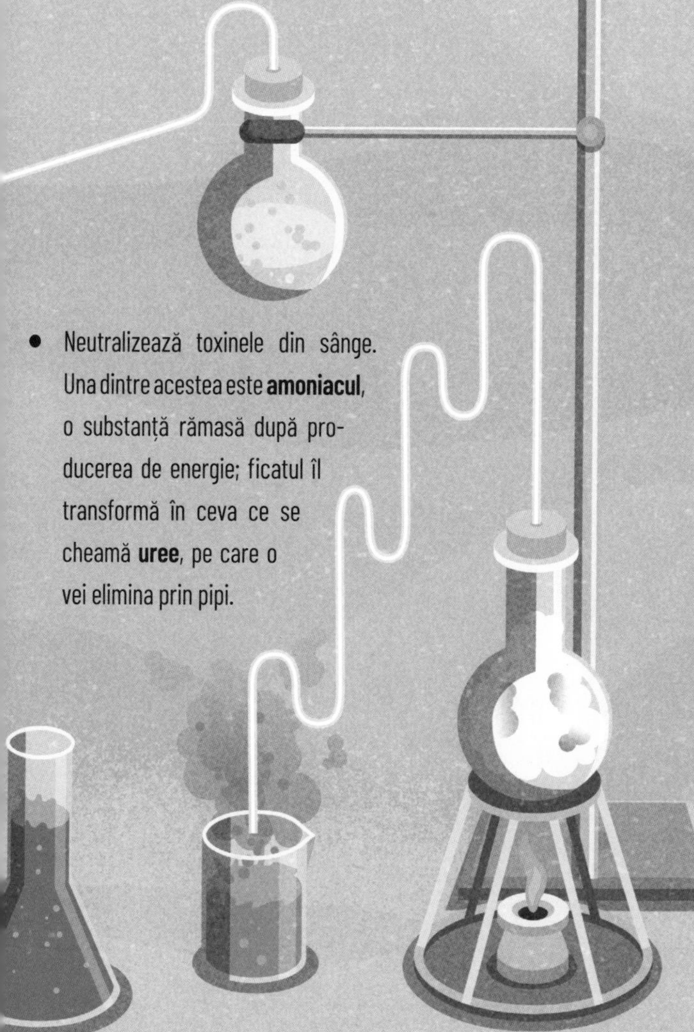

- Neutralizează toxinele din sânge. Una dintre acestea este **amoniacul**, o substanță rămasă după producerea de energie; ficatul îl transformă în ceva ce se cheamă **uree**, pe care o vei elimina prin pipi.

În mod remarcabil, poți îndepărta două treimi dintr-un ficat și acesta va reveni la dimensiunea inițială în doar câteva săptămâni. Inima nu poate face asta. Nici plămânii. Până și creierul tău incredibil nu poate decât să se minuneze de o asemenea ispravă, parcă nevenindu-i să creadă.

CUM REUȘEȘTE FICATUL SĂ FACĂ TREABA ASTA CU REGENERAREA?

Adevărul este că nici măcar hepatologii nu știu. E „încă un mister", potrivit profesorului olandez Hans Clevers. Dar, deși un ficat care a crescut la loc nu arată la fel de bine, își face treaba. „Arată cam uzat și grosolan în comparație cu ficatul originar, dar funcționează acceptabil", spune Clevers.

- Funcționează ca rezervor de combustibil. În timpul mesei, ficatul depozitează glucoza în exces din mâncare și băutură sub formă de **glicogen**. Când ai nevoie de mai mult carburant – între mese, să zicem, sau în timpul unei sesiuni de gaming deosebit de intense –, ficatul îl transformă la loc în glucoză, pe care o eliberează în sânge.

Multă vreme ficatul a fost considerat sediul curajului – de unde și vechea expresie „a-i îngheța ficații", care înseamnă a se înspăimânta.

PANCREASUL ȘI SPLINA

la zi: dacă *ai fi nevoit* să rămâi ori fără pancreas, ori fără splină, la care ai renunța?

SPER CĂ AI ALES SĂ TE LIPSEȘTI DE SPLINĂ (ÎMI PARE RĂU, SPLINĂ).

Pentru că, deși splina este fără îndoială utilă (având un rol important în apărarea organismului de invadatori letali, mai ții minte?), fără pancreas ai muri.

O glandă cu aspect gelatinos, pancreasul stă pitit în spatele stomacului. Măsoară circa 15 centimetri și are cumva formă de banană.

SUCUL PANCREATIC

Zi de zi, pancreasul secretă un litru și ceva de **suc pancreatic**. Chestia asta conține enzime care ajută la digestia alimentelor, descompunând lucruri precum glucidele și amidonul.

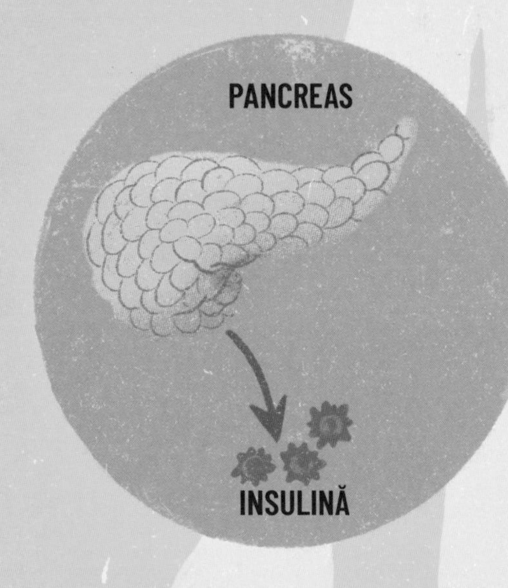

SPLINA

Splina este utilă deoarece produce limfocite care au un rol important în apărarea organismului de infecții. Contribuie și la filtrarea sângelui. (Totuși, dacă ar fi să rămâi fără splină, ficatul tău ar putea prelua mai toate funcțiile ei.) Este cam cât pumnul și e situată în partea superioară stângă a cavității abdominale.

INSULINA

O altă funcție a pancreasului (și cea pentru care este cel mai celebru) este să secrete un hormon foarte important numit **insulină**.

Insulina transferă glucoza în celule, unde poate fi folosită pentru a produce energie.

Când glicemia crește (poate pentru că tocmai ai înfulecat o gogoașă):

- Insulina se fixează pe suprafața unei celule.
- Asta cheamă **moleculele transportoare** – consideră-le un soi de „taxiuri pentru glucoză" – la suprafața celulei.
- Acestea prind glucoza și o duc în celulă ca să fie folosită drept hrană, în loc să se irosească în sânge.
- De asemenea, insulina spune ficatului să nu mai elibereze glucoza pe care a depozitat-o sub formă de glicogen, așa că ficatul se apucă să stocheze glucoza în exces.

DIABETUL

Diabetul este o boală care cauzează creșterea glicemiei. Există două tipuri de diabet – tip 1 și tip 2. În cazul diabetului de tip 1, corpul nu mai produce deloc insulină. În diabetul de tip 2, se mai produce niște insulină, dar nu prea are chiar același efect asupra celulelor ca la oamenii sănătoși; aceasta se numește **rezistență la insulină**.

Înainte de începutul anilor 1920, nu exista tratament pentru diabetul de tip 1. Pacienții mureau inevitabil. Apoi un tandem neverosimil de medici a obținut ceea ce mai apoi a fost numit „primul mare triumf al științei medicale". Fără să prea aibă habar ce fac, un tânăr medic pe nume Frederick Banting și asistentul său, Charles Herbert Best, au reușit să obțină insulină de la câini (care nu era amestecată deloc cu suc pancreatic). Curând, echipa avea o formă de insulină îndeajuns de pură ca să le-o administreze unor pacienți. În scurt timp, aceasta era produsă în cantități suficient de mari pentru a salva vieți omenești în întreaga lume.

Frederick Banting știa atât de puține despre diabet, încât nici măcar nu a scris corect numele bolii în notițele sale!

Astăzi, insulina este produsă punând o genă care codifică această proteină în drojdie sau bacterii, care apoi încep s-o elimine. După ce este purificată, pacienții pot să-și injecteze această insulină. Persoanele cu diabet de tip 1 (și unele dintre cele cu diabet de tip 2) își injectează regulat insulină, pentru a-și ține glicemia sub control.

RINICHII

Ca și ochii, brațele, amigdalele - și gemenii -, și rinichii sunt pereche. Față de ficat, nu sunt chiar așa de mari (fiecare cântărește cam cât un hamster), dar sunt absolut formidabili.

Poți să-ți pui mâinile pe spate, la baza cutiei toracice, de o parte și de alta a coloanei vertebrale? O să ai degetele cam pe unde sunt situați rinichii tăi. (Deși rinichiul drept este situat mai jos decât stângul, pentru că ditamai ficatul tău îl apasă în jos.)

PRINCIPALA FUNCȚIE A RINICHILOR ESTE SĂ-ȚI CUREȚE SÂNGELE.

O funcție extrem de importantă a rinichilor este să se asigure că sângele conține cantitatea potrivită de apă și de sare. Când consumi prea multă sare, rinichii filtrează o parte din ea și o trimit în vezica urinară, ca s-o elimini prin urină.

Poate știi că, pe vremea când nu existau toalete, oamenii își deșertau pe fereastră oala de noapte. Ei bine, și celulele tale fac cam la fel. Când mitocondriile transformă energia din alimente în energie pentru celulă, se produce și amoniac, substanța aia toxică nasoală, care pur și simplu este deșertată în sânge. Ficatul îl mai neutralizează (transformându-l în uree), însă chiar și așa în scurt timp se va acumula în sânge și îți va face rău. Din fericire pentru tine, rinichii tăi îl filtrează, trimițând în urină și ureea, precum și alte substanțe toxice. În același timp, reintroduc în sistemul circulator chestiile bune din plasmă, cum ar fi vitaminele și hormonii.

Rinichii sunt obsedați de curățenie. În medie un adult are în corp cam 3,5 litri de plasmă sangvină. În fiecare zi, rinichii o tot filtrează iar și iar, procesând în total circa 180 de litri de plasmă - cam o cadă plină ochi.

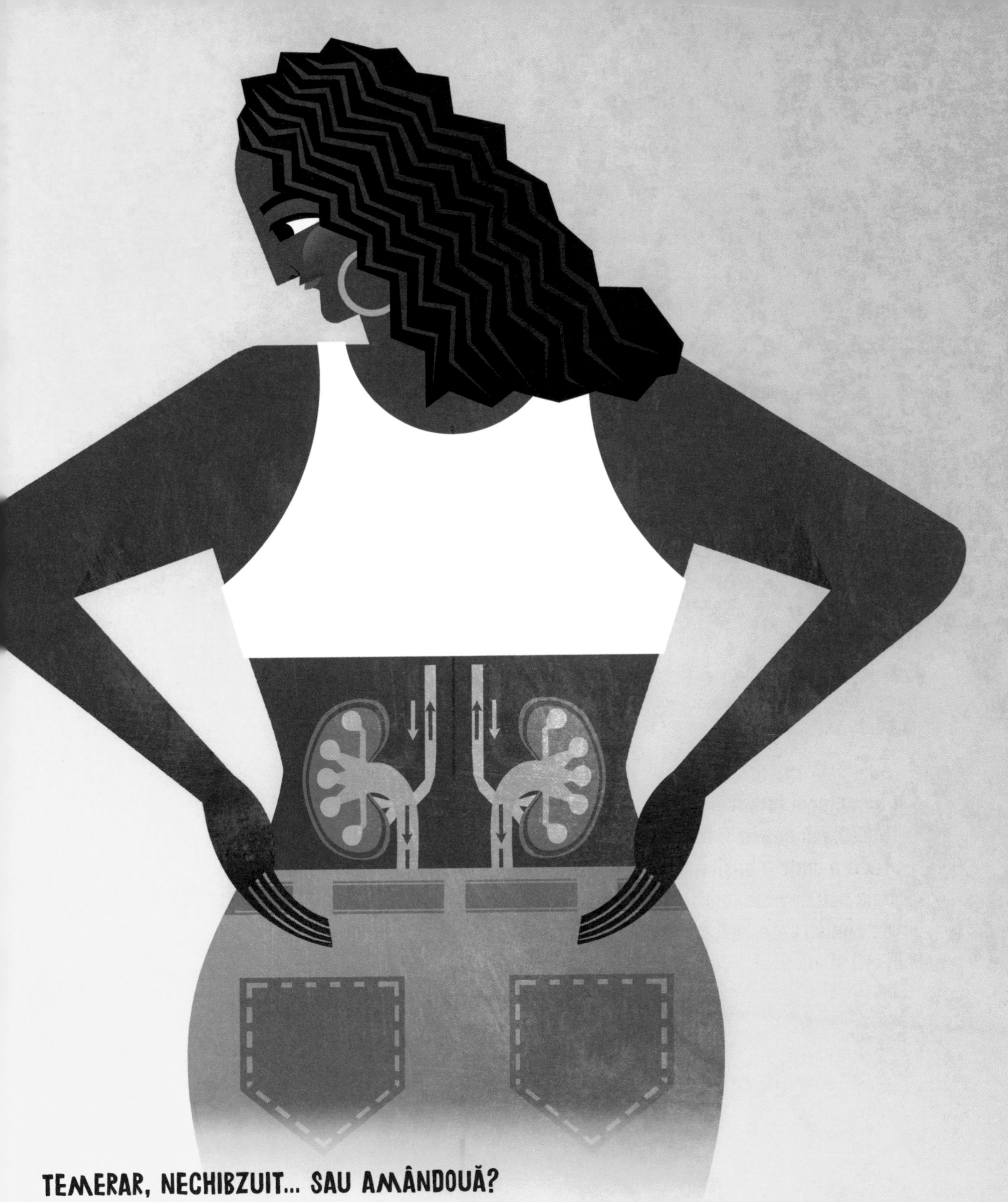

TEMERAR, NECHIBZUIT... SAU AMÂNDOUĂ?

În 1869, chirurgul german Gustav Simon i-a extirpat un rinichi unei paciente. Rinichiul era bolnav, așa că extirparea lui ar putea părea o idee binevenită. Dar nimeni nu știa de fapt ce-o să se întâmple. Se putea presupune că avem doi rinichi pentru că avem nevoie de doi, iar unul nu ar fi suficient. Dar Simon a descoperit încântat – ca și pacienta, probabil – că ea a supraviețuit. Era prima dată când se constata că omul poate trăi și cu un singur rinichi.

VEZICA URINARĂ

Termenul englezesc *bladder* („vezică urinară") este unul dintre cele mai vechi cuvinte care denumesc părți ale corpului. Datează din epoca anglo-saxonă și era utilizat cu vreo 600 de ani înainte să apară cuvântul *urine* („urină").

Vezica urinară se mai numește și bășică și este concepută astfel încât să se umfle pe măsură ce o umplem cu pipi. Când e plină și hotărăști că te afli la momentul potrivit și la locul potrivit ca s-o golești, creierul tău emite două comenzi ca să se întâmple următoarele lucruri:

1. Mușchii din structura vezicii se contractă, pentru a împinge urina afară.

2. **Sfincterul** vezicii se relaxează. Asta permite urinei să circule printr-un canal numit **uretră**, ieșind din corp.

Ce este pipiul? Este un deșeu lichid. Conține:

- **apă;**
- **sare;**
- **uree și adic uric, din amoniacul modificat;**
- **orice altceva de care vrea să se descotorosească organismul tău poate fi eliminat prin pipi. De exemplu, niște glucoză și vitamine din care ai deja o cantitate suficientă.**

Dacă jucai fotbal în anii 1820, mingea ar fi fost făcută dintr-o bășică de oaie sau de porc, umflată (de cineva care ar fi suflat în ea) și acoperită cu piele.

O trăsătură pe care, din păcate, o au în comun vezica urinară, vezica biliară și rinichii este tendința de a forma **pietre**. Acestea sunt niște concrețiuni de calciu și săruri. Mult timp, au fost foarte greu de tratat. Pacienții erau așa de speriați de durere și de riscurile operației necesare pentru a le extrage, încât pietrele ajungeau deseori la mari dimensiuni până când se încerca ceva.

Când suferindul accepta în cele din urmă inevitabilul și făcea operația, se întâmpla cam așa: i se dădeau niște calmante rudimentare și omul era culcat pe spate cu picioarele ridicate, peste cap. Apoi îl țineau mai mulți bărbați voinici în timp ce chirurgul îi cotrobăia prin vezică după pietre. Trebuie să fi fost îngrozitor de dureros!

Una dintre cele mai celebre operații chirurgicale de extragere a pietrelor a fost cea suferită de Samuel Pepys (dacă n-ai auzit de el, a fost un englez care a trăit în secolul al XVII-lea și care încă este foarte faimos pentru jurnalul său, unde evoca tot soiul de evenimente importante de la vremea aceea).

Piatra lui Pepys era cât o *minge de tenis*. În timp ce patru bărbați îl țineau, chirurgul i-a introdus în penis și în vezica urinară un instrument subțire, ca să fixeze piatra. Apoi a luat un bisturiu și a făcut iute o incizie în piele, apoi în vezica tremurătoare, și a extras piatra.

Întreaga intervenție a fost incredibil de rapidă – a durat doar 50 de secunde. Dar lui Pepys i s-au părut probabil cele mai lungi 50 de secunde din viața lui. Mulți ani după aceea, a sărbătorit data operației cu o cină specială. Păstra piatra într-o cutie lăcuită și se lăuda cu ea tuturor celor dispuși s-o admire.

Și cine l-ar putea condamna pentru asta?

HRANA

Tu ce ai mâncat aseară?

Poate fish fingers cu piure și mazăre. Sau curry. Sau pizza. Orice ai mâncat, când iei alimentele la bani mărunți, chiar și cea mai simplă mâncare este cu mult mai interesantă decât pare.

UITE, DE EXEMPLU, FISH FINGERS, PIUREUL ȘI MAZĂREA.

MAZĂREA

Bobițele astea sunt o sursă bună de vitamina C și pot conține și minerale utile, precum calciu și potasiu.

Vitaminele sunt niște compuși de care avem nevoie pentru ca organismul nostru să funcționeze bine, dar pe care noi nu îi putem produce. Există vreo 13 vitamine. Vitamina C ne ajută să ne menținem sănătoase pielea, vasele de sânge și oasele.

Mazărea e o plantă, desigur. Dar majoritatea plantelor nu sunt bune de mâncat. Sunt alcătuite din ceva ce se cheamă **celuloză**, care nu este digerată de om. Puținele plante pe care le putem consuma sunt cele pe care le numim legume. Conțin și ele niște celuloză (ca toate plantele), deși nu într-o cantitate așa de mare – dar conțin și o sumedenie de chestii bune, printre care și vitamine.

De-a lungul vieții, consumăm în jur de 60 de tone de mâncare – cam cât 60 de mașini mici.

FISH FINGERS

Peștele este o bună sursă de **proteine**. Proteinele reprezintă cam o cincime din greutatea ta corporală. Odată ajunsă în interiorul tău, proteina pe care o ingerezi cu mâncarea este descompusă în piesele sale componente, care se numesc **aminoacizi**. Corpul tău folosește apoi aceste elemente pentru a compune tipul de proteină de care are nevoie – de exemplu, ca să-și dezvolte mușchii. Deși carnea și peștele conțin o grămadă de proteine, acestea se găsesc și în unele plante, precum soia.

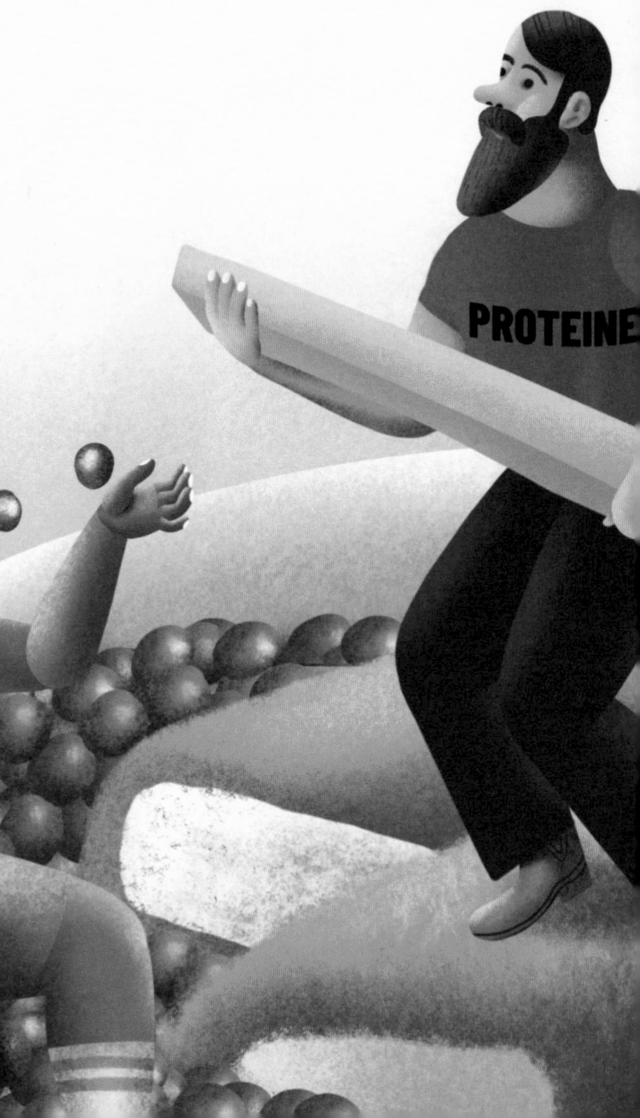

PIUREUL DE CARTOFI

Piureul e o sursă importantă de **carbohidrați**.

Carbohidratul este unul din cei doi combustibili preferați ai corpului tău, de care are nevoie ca să funcționeze. Toți carbohidrații sunt constituiți din carbon, hidrogen și oxigen. Zaharurile (inclusiv glucoza, cel mai simplu carbohidrat) și amidonul sunt carbohidrați.

Dacă piureul pe care îl mănânci are în el unt și lapte, este și o sursă de **grăsimi**.

Grăsimile reprezintă celălalt combustibil principal al corpului. Asemenea carbohidraților, și grăsimile sunt alcătuite tot din carbon, hidrogen și oxigen – dar în proporții diferite, fiind, astfel, mai ușor de depozitat.

De fapt, deși ai nevoie de niște grăsimi ca să fii sănătos, după cum probabil știi, în cazul în care consumi mai multă grăsime decât e necesar, corpul tău va fi încântat să ți-o depoziteze.

Gătirea alimentelor, în loc să fie consumate crude, oferă tot felul de beneficii:

- **distruge toxinele;**
- **îmbunătățește gustul (până la un punct... nu vorbim aici de mâncarea de cantină, gătită până se face terci);**
- **face ca substanțele dure să devină masticabile (în afară de zgârciurile de la cantină, evident);**
- **mărește semnificativ cantitatea de energie de care putem beneficia din ceea ce mâncăm.**

Obiceiuri alimentare sănătoase pentru copii, recomandate de Serviciul național de sănătate:

- cel puțin cinci porții de fructe și legume pe zi;
- mese bazate pe alimente cu amidon, precum cartofii și pastele;
- niște lapte și produse lactate sau alternative (cum ar fi laptele de soia);
- niște alimente care sunt surse bune de proteine, precum fasolea și lintea, carnea, peștele, ouăle;
- nu prea multe alimente dulci sau grase, precum dulciurile, prăjiturile și biscuiții, și nici prea multe băuturi acidulate care conțin zahăr.

CALORIILE

Tu ai auzit de calorii?

Restaurantele și cafenelele mai mari și cele ce livrează mâncare trebuie să te informeze despre numărul de calorii conținute de fiecare fel de mâncare pe care îl servesc, așa că probabil ai mai văzut așa ceva într-un meniu: :

SUPĂ DE ROȘII.. (203 KCAL)

CHIFTELUȚE DE PEȘTE ȘI CARTOFI CU SPANAC...... (622 KCAL)

PIZZA MARGHERITA.................................... (722 KCAL)

ÎNGHEȚATĂ CU FRUCTE ȘI SIROP...................(537 KCAL)

Kcal este simbolul pentru **kilocalorii**. Despre asta vorbesc oamenii de fapt când folosesc cuvântul *calorii*, omițând să-i mai pună și *kilo* în față.

Așa cum centimetrul este o măsură de lungime, kilocaloria e o unitate de măsură pentru energie. Mai precis, o kilocalorie este cantitatea de energie necesară pentru a crește cu un grad Celsius temperatura unui litru de apă.

Cum știm deja, avem nevoie de energie din mâncare și băutură pentru a crea ATP, care alimentează corpul. Pentru că avem nevoie de energie ca să supraviețuim, am evoluat astfel încât să ne placă gustul alimentelor care conțin calorii rapide și ușoare – acestea sunt zaharurile.

O sticlă de Pepsi de 500 ml conține aceeași cantitate de zahăr ca trei mere (adică vreo 13 lingurițe de zahăr). Dar merele îți oferă și vitamine, minerale și fibre.

Deși oamenii vorbesc adesea despre calorii, energia alimentară se măsoară și în „kilojouli". Asta înseamnă că vei vedea pe meniuri și niște cifre urmate de „kJ" și vei afla despre kilojouli la școală.
1 kilocalorie = puțin peste 4 kilojouli

Poți să-ți imaginezi cum era pentru stră-stră-strămoșii tăi când aveau nevoie de un zvâc de energie? Pe vremea aia, nu existau nici automate, nici magazine, nici frigidere, nici batoane de ciocolată, nici dulciuri, nici mașini de înghețată. Singurele dulciuri disponibile erau fructele. Deci, dacă gustai ceva dulce, asta însemna energie, iar creierul tău avea dreptate să zică: *Da! Bingo! Bagă la ghiozdan!*

Astăzi viața este foarte diferită. Chestiile dulci sunt pretutindeni. Iar majoritatea nu au și beneficiile suplimentare ale fructelor, precum vitamine și fibre. Dar creierul nostru încă tânjește după gustul alimentelor și băuturilor dulci pentru caloriile lor rapide – așa că putem ajunge foarte ușor să mâncăm prea mult zahăr.

Nu e nevoie de prea mult zahăr ca să depășim limita sănătoasă. O singură doză obișnuită de băutură carbogazoasă conține mai mult zahăr decât cantitatea zilnică maximă recomandată pentru orice persoană de peste 11 ani. Și multe alimente procesate conțin zahăr adăugat.

DE CÂTĂ ENERGIE (ȘI DECI DE CÂTE CALORII) AI NEVOIE DE FAPT?

Asta depinde nu doar de nevoile zilnice ale corpului tău, ci și de câtă energie folosești zbenguindu-te, pedalând pe bicicletă, mergând spre școală, strângându-ți de pe jos toate hainele murdare ca să le pui în coșul de rufe (faci asta, nu?). A, și crescând.

Iată estimările Comitetului științific consultativ pentru nutriție al guvernului britanic în ceea ce privește energia medie necesară:

Dar acestea sunt doar valori medii. Diferiți oameni ard cantități diferite de energie făcând aceleași lucruri. S-ar putea ca tu să ai nevoie de mai multe calorii sau de mai puține ca să satisfaci nevoile corpului tău.

Ardem un număr destul de mare de calorii doar existând. În medie:

- Inima, creierul și rinichii ard fiecare cam 400 de calorii pe zi.
- Ficatul arde circa 200 de calorii.
- Mâncatul și digerarea alimentelor consumă în jur de o zecime din necesarul zilnic de calorii al corpului.
- Chiar și statul în picioare arde cam 107 calorii în plus pe oră.

CEL MAI FAIMOS STOMAC

Foarte mult timp, aproape tot ce știm despre stomac s-a datorat unui nefericit accident care a avut loc în 1822.

În vara acelui an, într-un magazin din insula Mackinac din SUA a intrat un client. A luat în mână o pușcă, care s-a descărcat brusc în timp ce o examina.

Un tânăr canadian pe nume Alexis St Martin se afla la nici un metru distanță, drept în bătaia puștii. Glonțul i-a străpuns pieptul și așa s-a ales cu ceva ce chiar nu își dorise: cel mai faimos stomac din istoria medicinei.

MIRACULOS!

St Martin a supraviețuit în mod miraculos. Dar rana nu i s-a vindecat niciodată complet. Medicul lui, William Beaumont, chirurg în armata americană, și-a dat seama că orificiul de 2,5 centimetri îi oferea o neobișnuită fereastră către interiorul lui St Martin și acces direct la stomacul acestuia. Beaumont l-a dus pe St Martin la el acasă și l-a îngrijit. În schimb, St Martin a acceptat ca Beaumont să facă experimente pe el.

Pentru Beaumont, era o oportunitate incredibilă. În 1822, nimeni nu prea știa ce se întâmplă cu alimentele după ce dispar pe gât în jos. St Martin avea singurul stomac de pe planetă care putea fi studiat în mod direct.

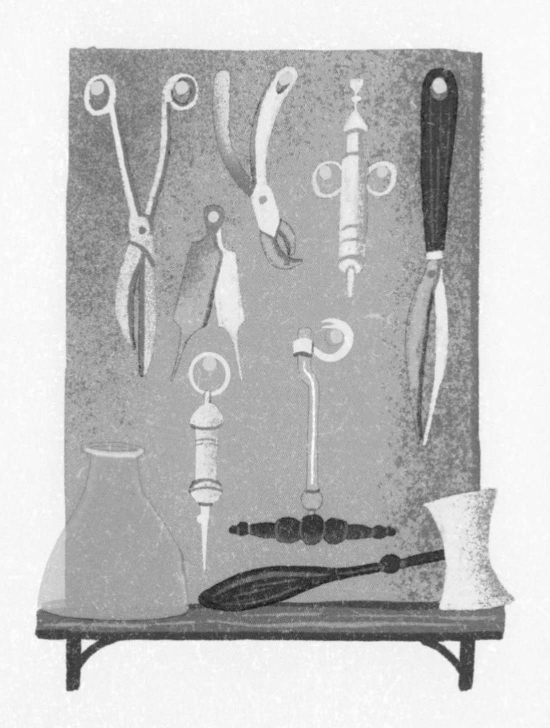

BIZARELE EXPERIMENTE ALE LUI BEAUMONT

Beaumont introducea în stomacul lui St Martin, prin orificiu, diverse alimente legate de un fir de mătase. Le lăsa să stea în stomac diferite intervale de timp, apoi trăgea firul și le scotea ca să vadă ce se întâmplase cu ele.

Mai și *gusta* ceea ce era în interiorul stomacului lui St Martin, observând că are un gust acid doar în prezența alimentelor. Așa a descoperit că **acidul clorhidric** produs în stomac descompune hrana. Această descoperire l-a făcut celebru pe Beaumont.

St Martin nu era mereu tocmai cooperant, iar o dată a dispărut vreme de patru ani. Dar Beaumont i-a dat de urmă și și-a continuat ciudatele experimente. A publicat în cele din urmă o carte despre descoperirile lui. Timp de aproape 100 de ani, cam toate informațiile medicale despre ceea ce se întâmplă cu mâncarea după ce este înghițită s-au datorat stomacului lui St Martin.

Până la urmă, St Martin a trăit cu 27 de ani mai mult decât Beaumont. După ce a rătăcit o vreme, s-a căsătorit, a crescut șase copii și a murit la 86 de ani, în 1880 – la aproape 60 de ani după accidentul care îl făcuse celebru fără să vrea.

MĂRUNTAIELE

Să zicem că muști dintr-un sendviș cu brânză. Și dup-aia?

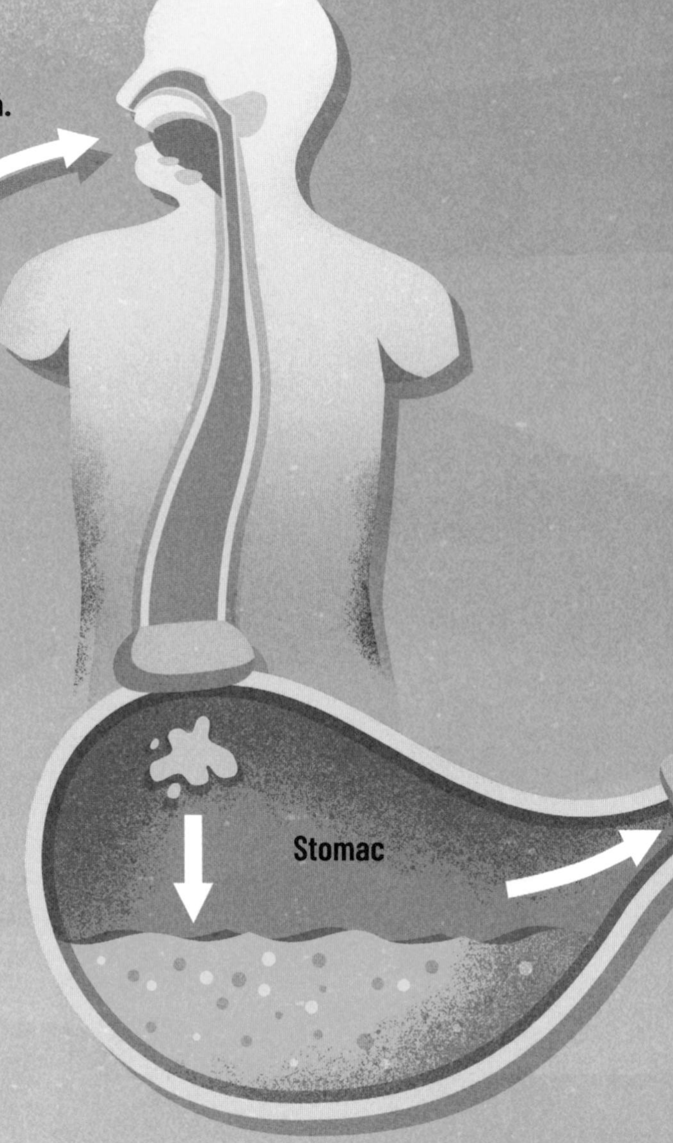

Mesteci îmbucătura și o înghiți. Bucățelele coboară pe țeava pentru mâncare și băutură - **esofagul** - și printr-un grup de organe numite **tub digestiv**. Prima stație este...

STOMACUL

Mulțumită lui Alexis St Martin și stomacului său faimos, știm că, odată ajuns în stomac, sendvișul este scăldat în acid clorhidric. Asta nu numai că ajută la fărâmițarea bucăților de mâncare, ci și distruge orice bacterii care s-ar fi putut afla pe brânză (sau pe mâinile murdare care au ținut sendvișul). Stomacul tău mai secretă și niște sucuri digestive ca să ajute la digestie, iar mușchii stomacali puternici agită totul din când în când, amestecând bine alimentele și sucurile.

Mai toată lumea crede că stomacul se află în abdomen. În realitate, e mult mai sus și vădit mai spre stânga. Stomacul unui adult are o lungime de circa 25 de centimetri și forma unei mănuși de box.

DUPĂ CE SENDVIȘUL S-A TRANSFORMAT ÎNTR-O MÂZGĂ, E ÎMPINS ÎN INTESTINE.

Stomacul unui om adult are o capacitate de circa 1,4 litri, ceea ce nu e foarte mult. Un câine mare are un stomac de două ori pe-atâta.

Ce oprește ferocele noastre sucuri digestive să atace pereții stomacului și ai intestinului subțire? Răspunsul este mucusul gros și vâscos. Mucusul ăsta e tot ce te împiedică să te autodigeri.

Mucus

INTESTINUL SUBȚIRE

Este acea porțiune a tubului digestiv în care se desfășoară cea mai mare parte a digestiei. O fi el subțire, dar e destul de lunguț. Dacă ai descolăci intestinul subțire al unui adult, s-ar întinde cam cât bara transversală a porții de pe terenul de fotbal.

Musculatura intestinului subțire se mișcă sub formă de unde, împingând alimentele cu o viteză de vreo câțiva centimetri pe minut. În timp ce alimentele se deplasează, acestea sunt expuse la niște sucuri digestive serioase (dintre care unele vin de la pancreas și de la ficat). Grăsimile, carbohidrații și proteinele sunt descompuse de aceste sucuri în fragmente suficient de mici ca să fie absorbite afară din intestin – în sânge.

Intestinul subțire

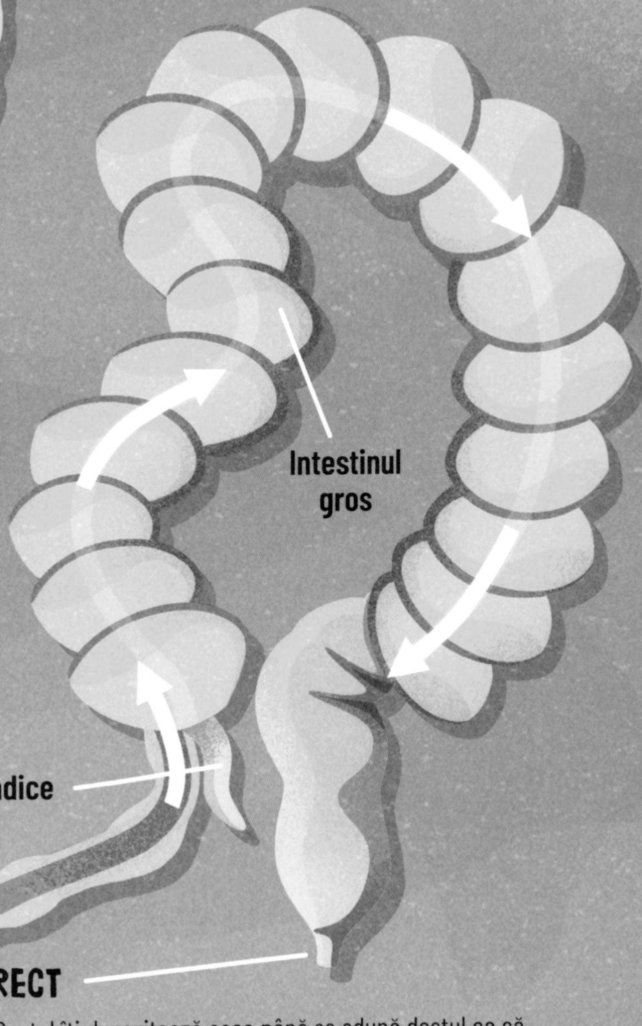

FĂRÂMELE CARE MAI RĂMÂN ȘI PE CARE NU LE POȚI DIGERA SUNT APOI ÎMPINSE ÎN...

INTESTINUL GROS

Aici se absoarbe apa, iar miliarde și miliarde de bacterii folositoare ronțăie tot ce n-a prelucrat intestinul subțire. Procesul acesta durează până la trei zile, extrăgând o mulțime de nutrienți utili, care sunt retrimiși în corp. Ce rămâne e acum o materie solidă numită... caca.

DUPĂ ÎNCĂ NIȘTE UNDUIRI MUSCULARE, CACA AJUNGE ÎN...

Intestinul gros

Apendice

RECT

Rectul îți depozitează caca până se adună destul ca să merite efortul să te deplasezi până la toaletă. Acum, rămășițele inutile ale acelui sendviș cu brânză mai sunt împinse o dată – de data aceasta afară din **anus**.

Apendicele are forma unui viermișor. Când se rupe ori se infectează, poate fi periculos, ucigând anual în jur de 80.000 de persoane. Se pare că extirparea lui nu are niciun fel de consecințe negative. Deci de ce se află acolo? Ce mă bucur că m-ai întrebat! Oamenii de știință habar n-au de ce. O teorie este că servește drept rezervor de bacterii intestinale utile.

CACA ȘI PÂRȚURILE

O persoană normală produce aproximativ 200 de grame de caca pe zi. Asta înseamnă cam 73 de kilograme pe an și peste cinci tone într-o viață. Pe parcursul vieții tale, probabil că vei face caca în total cam cât cântăresc cinci mașini (dar mâncarea pe care o vei consuma va cântări cât 60, nu uita, așa că nu e un rezultat chiar așa de îngrozitor).

Caca constă în cea mai mare parte în:

- fibre nedigerate (din plante);
- bacterii moarte;
- celule intestinale moarte;
- resturi de globule roșii moarte;

Durata tranzitului intestinal este intervalul dintre momentul în care o bucățică de mâncare este înghițită și eliminarea resturilor. La bărbați, durata medie a tranzitului intestinal este de 55 de ore. La femei, este mai curând de 72 de ore.

Prima persoană din epoca modernă care a manifestat un interes științific deosebit față de caca – a cărui denumire oficială este **scaun** sau **fecale** – a fost un tânăr doctor german pe nume Theodor Escherich. La sfârșitul secolului al XIX-lea, el a pus sub microscop caca de bebeluși și a descoperit în acesta 19 tipuri de microbi – mult mai multe decât se așteptase. Cel mai des întâlnit dintre aceștia a fost numit ***Escherichia coli***, în onoarea lui.

Caca nu e singurul lucru care iese prin anus. Mai ies și pârțuri. Sau **flatulență**, cum le place oamenilor de știință să numească pârțurile.

Un pârţ constă din:

- până la 50% dioxid de carbon;
- până la 40% hidrogen;
- până la 20% azot;
- 100% efect asupra celui care îl miroase primul. (De fapt, ultima nu este, strict vorbind, o cifră exactă.)

Cam o treime dintre oameni au și **metan** în pârțuri. Metanul este un gaz cu efect de seră bine-cunoscut. Cam două treimi nu produc așa ceva, nu se știe de ce.

Substanța care dă pârțului mirosul ăla oribil este **hidrogenul sulfurat**. În formă concentrată, hidrogenul sulfurat te poate ucide. În forma sa foarte diluată din pârțuri, nu e tocmai plăcut - dar n-o să mori de la un pârț. Mă rog, asta în caz că nu-i dă nimeni foc dinăuntru...

PÂRȚURILE EXPLOZIVE

În 1978, niște chirurgi din Franța au introdus o sârmă încălzită în rectul unui bărbat de 69 de ani. Era o procedură medicală obișnuită. Au apelat la ea pentru a cauteriza o mică excrescență care îi apăruse și care, dacă nu era eliminată, ar fi putut deveni canceroasă. Dar, când sârma a ajuns în interior, a aprins gazele intestinale din rectul bărbatului. Acestea au explodat, făcându-l literalmente bucăți pe bietul om.

Poate crezi că acesta a fost un caz izolat și un ghinion teribil. Dar, conform unei reviste medicale, era doar unul dintre „numeroasele cazuri documentate de explozie a gazului din colon în timpul unei operații anale". Din fericire, procedura a fost între timp modificată pentru a reduce riscul de pârțuri explozive.

DUREREA

DUREREA: BUNĂ SAU REA?

Pariez că o să zici că e rea. Durerea e *oribilă*, nu? Cu siguranță, nimeni n-ar vrea să simtă durere. Dar, dacă nu ai simți durere, ai putea foarte ușor să te rănești grav și nici măcar să nu-ți dai seama că ai o rană. Durerea are două funcții foarte importante:

- Să te determine să încetezi o acțiune care îți face sau ar putea să-ți facă rău.
- Să te facă să-ți îngrijești o rană, ca să se vindece cum trebuie.

Să zicem că ai atins o oală cu apă clocotită sau că ai căzut pe terenul de joacă - sau că ai făcut orice altceva aiurea care îți trece prin cap.

Chiar sub suprafața pielii se află **nociceptorii**. Ei reacționează la diferite tipuri de vătămare sau de pericol:

- căldură extremă sau frig extrem;
- arsuri de acizi sau baze;
- impacturi mecanice - ca atunci când genunchiul tău se izbește de pământ.

Când sunt activați acești receptori, se transmit două tipuri de semnale către creier:

- Semnale rapide, care te fac să simți un *au!* Asta te face și să acționezi (deci îți retragi cu iuțeală mâna de pe oala fierbinte, de exemplu).
- Semnale mai lente, care fac zona vătămată să înceapă să pulseze dureros.

Creierul tău nu conține nociceptori. Așadar, o „durere de cap" nu este niciodată propriu-zis o durere localizată în creier.

Sunt tot felul de lucruri care pot modifica intensitatea durerii pe care o simți. Există chiar povești despre persoane care au fost grav rănite și parcă nu simțeau deloc durere. Un exemplu celebru s-a înregistrat în timpul Bătăliei de la Aspern-Essling, în Austria, în 1809. Un colonel austriac își conducea trupele călare, când a fost informat de un soldat că piciorul drept îi fusese smuls de un proiectil. „A, da", a răspuns el și a continuat să lupte.

Simpla distragere a atenției poate face ca ceva să doară *mai puțin*, pe când, dacă-ți bați capul că ceva doare, atunci aproape invariabil te va durea *mai tare*. Dacă ai făcut vreodată o operație, poate că ți s-a dat un device ca să joci un joc pe el în timp ce ți se introducea în braț acul pentru administrarea anestezicului? Unele spitale fac asta ca să le distragă copiilor atenția de la ac, sperând să-i facă să nu mai fie așa de stresați, ca să-i doară mai puțin.

În cazul în care cazi și te lovești la genunchi sau chiar te frigi la mână, după ce rana se vindecă, de obicei durerea dispare.

Însă uneori oamenii dezvoltă o formă de durere ce nu mai trece. Aceasta se numește durere cronică. Din nefericire, adesea este foarte greu de tratat, iar în general nu ajută la nimic.

Durerea: bună sau rea? Păi, după cum ai văzut, în funcție de circumstanțe, poate să fie ori bună, ori rea.

SISTEMUL IMUNITAR

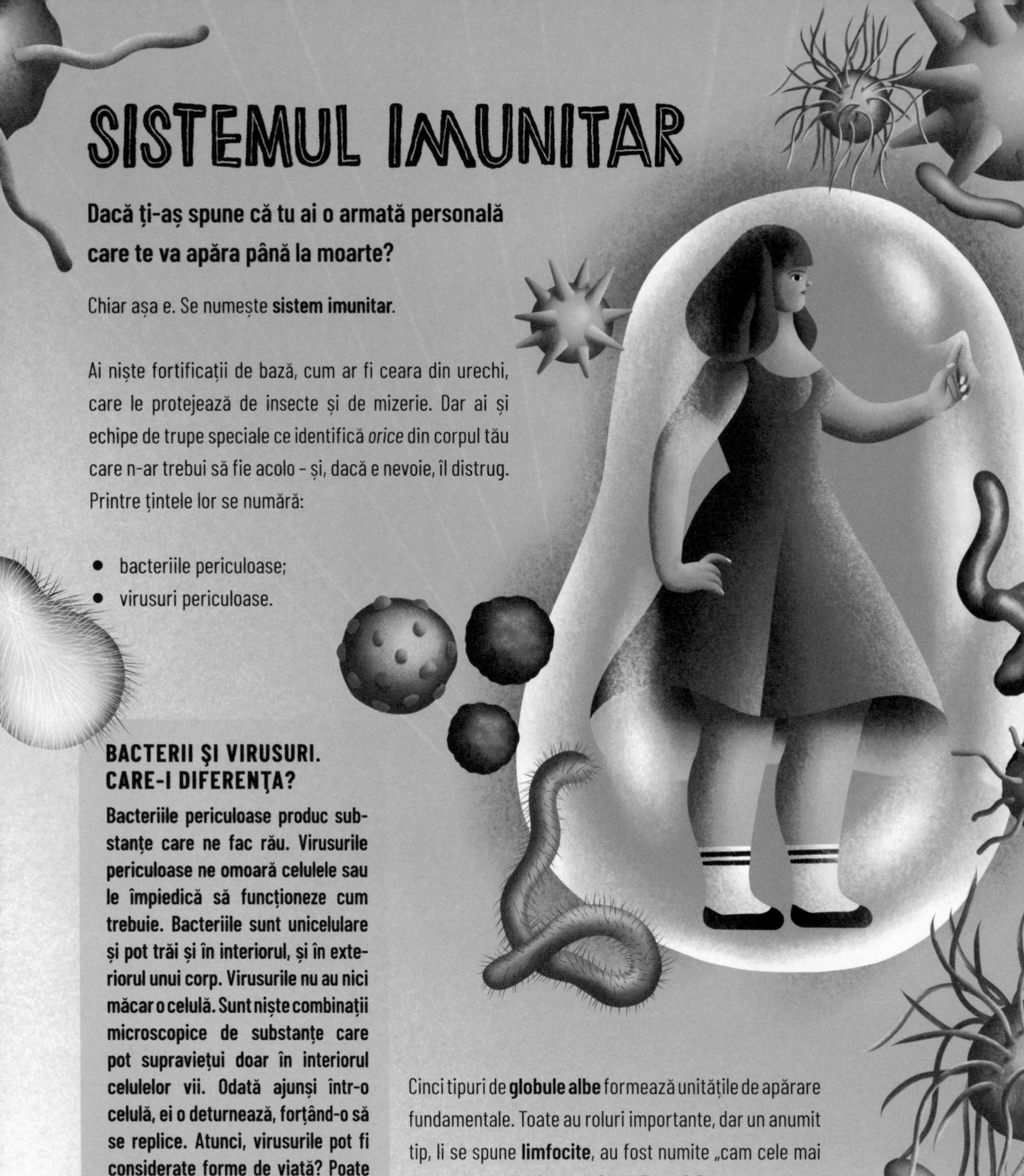

Dacă ți-aș spune că tu ai o armată personală care te va apăra până la moarte?

Chiar așa e. Se numește **sistem imunitar**.

Ai niște fortificații de bază, cum ar fi ceara din urechi, care le protejează de insecte și de mizerie. Dar ai și echipe de trupe speciale ce identifică *orice* din corpul tău care n-ar trebui să fie acolo - și, dacă e nevoie, îl distrug. Printre țintele lor se numără:

- bacteriile periculoase;
- virusuri periculoase.

BACTERII ȘI VIRUSURI. CARE-I DIFERENȚA?

Bacteriile periculoase produc substanțe care ne fac rău. Virusurile periculoase ne omoară celulele sau le împiedică să funcționeze cum trebuie. Bacteriile sunt unicelulare și pot trăi și în interiorul, și în exteriorul unui corp. Virusurile nu au nici măcar o celulă. Sunt niște combinații microscopice de substanțe care pot supraviețui doar în interiorul celulelor vii. Odată ajunși într-o celulă, ei o deturnează, forțând-o să se replice. Atunci, virusurile pot fi considerate forme de viață? Poate că da. Poate că nu. Oamenii de știință nu prea se pot hotărî.

Cinci tipuri de **globule albe** formează unitățile de apărare fundamentale. Toate au roluri importante, dar un anumit tip, li se spune **limfocite**, au fost numite „cam cele mai deștepte celule din organism". De ce? Pentru că pot să recunoască aproape *orice* tip de invadator nedorit și să mobilizeze o ripostă rapidă.

Limfocitele sunt și ele de două tipuri principale, care au la rândul lor subtipuri. (Eu n-am zis că sistemul imunitar nu e complicat. Dar este totodată și *uimitor*.)

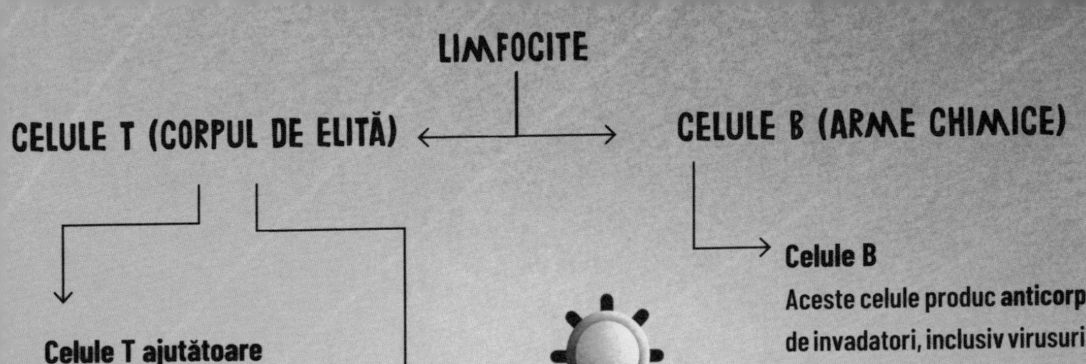

Celule T ajutătoare
Aceste celule sunt activate de o infecție. Ele stimulează **celulele T** ucigașe și le spun celulelor B să treacă la treabă.

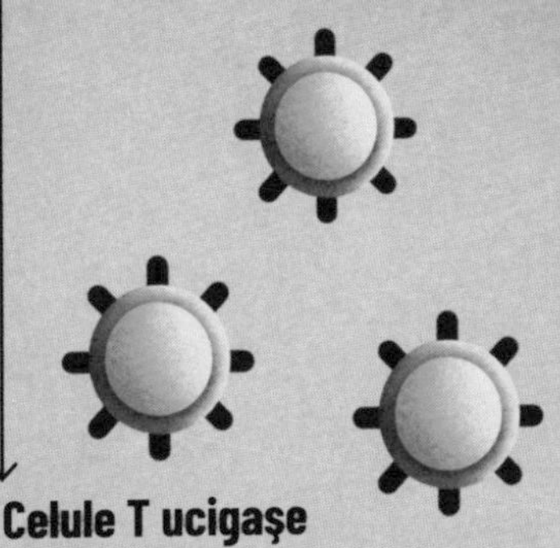

Celule T ucigașe
Acestea ucid celulele care au fost deturnate de virusuri. De asemenea, ucid bacterii și alți atacatori.

Celule B
Aceste celule produc **anticorpi**, care se prind de invadatori, inclusiv virusuri, bacterii, fungi și paraziți. Anticorpii contra SARS-CoV-2, de exemplu, fac virusul care cauzează COVID-19 incapabil să mai pătrundă în celule sănătoase și să facă ravagii. Când anticorpii se fixează pe ceva, ei transmit altor celule ale sistemului imunitar un semnal de genul: Veniți aici! Distrugeți!

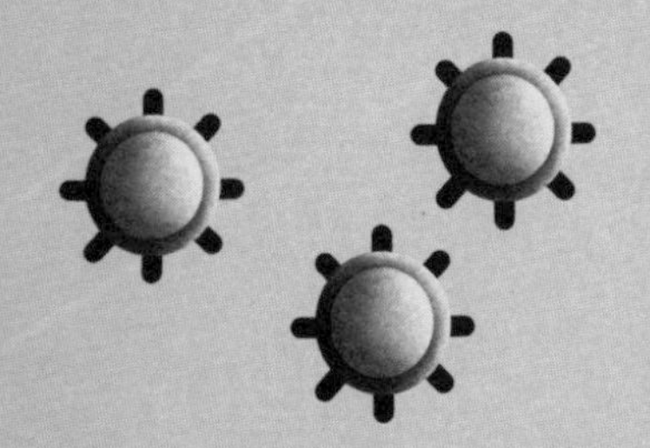

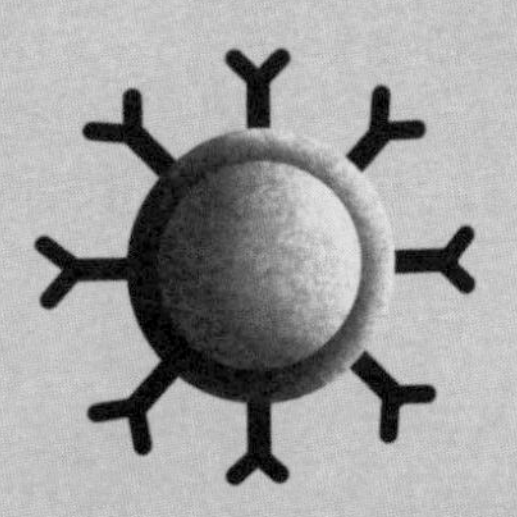

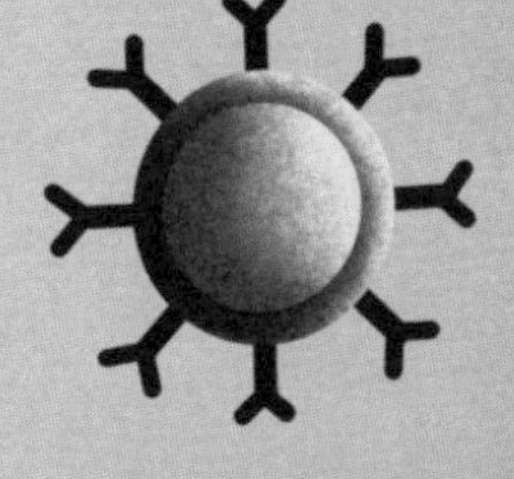

După o infecție, unele dintre celulele tale B și T vor deveni **celule cu memorie** cu viață lungă. Ele își vor aminti exact cum arăta inamicul, iar dacă el își mai încearcă vreodată norocul, aceste celule îl vor recunoaște instantaneu și vor mobiliza trupele.

Celulele cu memorie sunt extraordinare. Eu nu m-am mai îmbolnăvit de oreion de când eram copil pentru că undeva în corpul meu se află celule T cu memorie care de mai bine de 60 de ani mă protejează de o altă infecție cu oreion.

CUM FUNCȚIONEAZĂ VACCINURILE?

Diferite vaccinuri funcționează în moduri diferite, dar toate învață sistemul imunitar să recunoască una sau mai multe proteine-cheie pe care le conține inamicul și să lupte împotriva lor. Dacă mai apoi te infectezi cu inamicul respectiv, sistemul tău imunitar recunoaște imediat proteina (sau proteinele) cheie și lansează un contraatac instantaneu.

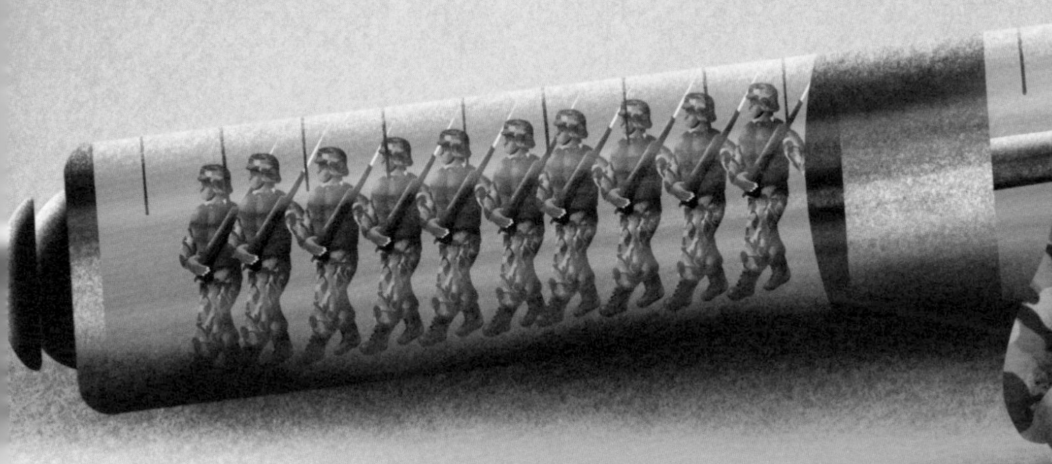

BOLILE

Dacă ai fi un geniu malefic care ar încerca să conceapă Cea Mai Îngrozitoare Boală, ai vrea ca aceasta să fie:

- *incredibil* de contagioasă;
- *extrem* de letală;
- *foarte greu* de ținut sub control;
- *complet rezistentă* la vaccinuri.

Din fericire, în lumea reală, bolile cele mai înfricoșătoare nu prea se pricep să aibă toate aceste patru „calități" în același timp.

Uite, de exemplu, ebola, un virus care poate cauza sângerări incontrolabile. Primele două condiții de pe această Listă de Dorințe Malefice sunt bifate:

- Ebola este aproape ridicol de infecțioasă. O picătură de sânge nu mai mare decât litera *o* pe care o vezi aici poate conține 100 de milioane de particule de ebola.
- Fiecare dintre aceste particule este letală ca o grenadă de mână.

Dar ebola este ușor de ținut sub control pentru că e de-a dreptul jalnică atunci când vine vorba să se răspândească – din două motive:

1) Ideea că s-ar putea molipsi este atât de terifiantă, încât, dacă cineva dezvoltă simptome, toți ceilalți oameni din zonă fug, făcând tot ce le stă în putință ca să scape.

2) Ebola își face foarte rapid victimele să se simtă foarte rău. Asta înseamnă că ele adesea se izolează până să apuce să-i infecteze pe mulți alții.

Un virus de succes este unul care nu ucide prea ușor și care se poate răspândi pe scară largă. De aceea gripa este o asemenea amenințare în fiecare iarnă, mai ales pentru persoanele în vârstă, al căror sistem imunitar e în general mai slab. Un virus gripal tipic își face victimele contagioase cam cu o zi înainte să manifeste simptome și încă vreo săptămână după vindecare, așa că fiecare victimă poate transmite cu ușurință boala.

Și COVID-19 are o perioadă de contagiozitate destul de lungă: o persoană ce are virusul i-ar putea infecta pe cei din jur în orice moment începând cu câteva zile înainte să manifeste principalele simptome până la vreo săptămână după apariția simptomelor. Virusul se pricepe foarte bine și să se răspândească. *Dar* – ca și în cazul gripei – există vaccinuri pentru virusul care cauzează COVID-19.

Multe dintre bolile noastre provin de la animale. În special de la animale domestice. Lepra, ciuma, tuberculoza, tifosul, difteria, pojarul, gripele – toate au trecut de la animale precum caprele, porcii, vacii și găinile direct la om. Se crede că și COVID-19 a ajuns la om de la un animal, poate inițial un liliac infectat.

Gripa a ucis mulți oameni. Epidemia de **gripă spaniolă** din 1918 a ucis nu mai puțin de 100 de milioane de oameni. Nu era ea tocmai letală – ucidea „doar" două-trei persoane din 100 infectate. Dar a infectat o mulțime de oameni într-o vreme când nu existau vaccinuri.

Dar cea mai devastatoare boală din istoria omenirii a fost probabil variola. Îi infecta aproape pe toți cei expuși la ea. Și ucidea cam *trei din zece* victime. Variola era atât de ucigătoare în principal deoarece cauza o infecție atât de masivă în corp, încât sistemul imunitar era cu totul copleșit. În secolul XX, a răpus nu mai puțin de 500 de milioane de oameni.

Ceea ce i-a venit de hac variolei a fost faptul că îi infecta doar pe oameni, așa că nu a avut unde să se retragă pe măsură ce savanții au reușit s-o combată cu ajutorul vaccinurilor. În 1980, s-a anunțat eradicarea variolei din întreaga lume.

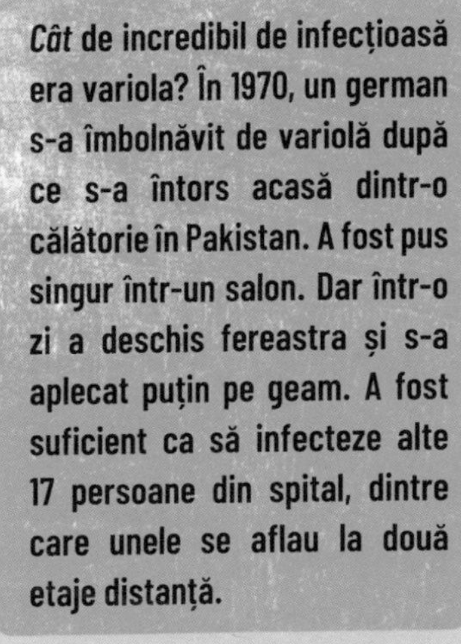

Cât **de incredibil de infecțioasă era variola? În 1970, un german s-a îmbolnăvit de variolă după ce s-a întors acasă dintr-o călătorie în Pakistan. A fost pus singur într-un salon. Dar într-o zi a deschis fereastra și s-a aplecat puțin pe geam. A fost suficient ca să infecteze alte 17 persoane din spital, dintre care unele se aflau la două etaje distanță.**

COMBATEREA INFECȚIILOR

Vaccinurile nu sunt singurele arme pe care le-am creat pentru a combate bolile. Avem și medicamente, desigur.

Cuvântul *antibiotic* înseamnă: împotriva (*anti*) organismelor vii (*biota*). Dar **antibioticele** sunt folosite doar împotriva bacteriilor.

Poate că ai „făcut" la școală despre penicilină. Dar pariez că n-ai aflat întreaga poveste incredibilă a felului cum a ajuns ea să fie descoperită și utilizată...

PARTEA ÎNTÂI: VASELE MURDARE ALE LUI FLEMING

În 1928, un cercetător pe nume Alexander Fleming a plecat în concediu. În laboratorul lui de la St Mary's Hospital din Londra a lăsat niște vase Petri murdare. Acestea aveau în ele niște bacterii, iar cât a lipsit el, niște spori de mucegai (un soi de ciupercă) au ajuns în laborator și au aterizat pe unul dintre vasele astea.

S-au întâmplat trei lucruri care aparent erau cât se poate de obișnuite:

1. Fleming nu a curățat vasele alea.
2. Vremea a fost răcoroasă în vara aceea, deci prielnică sporilor (sporii seamănă cumva cu niște semințe).
3. Vasele au rămas neatinse până s-a întors Fleming din concediu.

Dar aceste lucruri au condus la un rezultat uimitor...

La întoarcerea sa, Fleming a constatat că bacteriile se dezvoltaseră în voie în toate vasele în afară de unul. În acest vas - cel în care aterizase mucegaiul - bacteriile muriseră. Și-a dat seama că mucegaiul era responsabil de distrugerea bacteriilor din vasul respectiv. A fost o descoperire de proporții, pe care a publicat-o în reviste academice.

Mucegaiul era o ciupercă numită *Penicillium notatum*. Fleming și-a numit produsul distrugător de bacterii „penicilină". Știa că, dacă poate ucide bacterii, ar putea să-i vindece pe oameni de infecții bacteriene grave și să salveze vieți.

Dar lui Fleming nu îi era ușor să-și transforme descoperirea într-un medicament. O echipă de la Oxford, condusă de Howard Florey, a realizat progrese enorme, dar și ei făceau eforturi să dezvolte un medicament care să-i poată ajuta pe mulți oameni. Apoi, în anii 1940, s-a obținut o victorie într-un laborator din SUA...

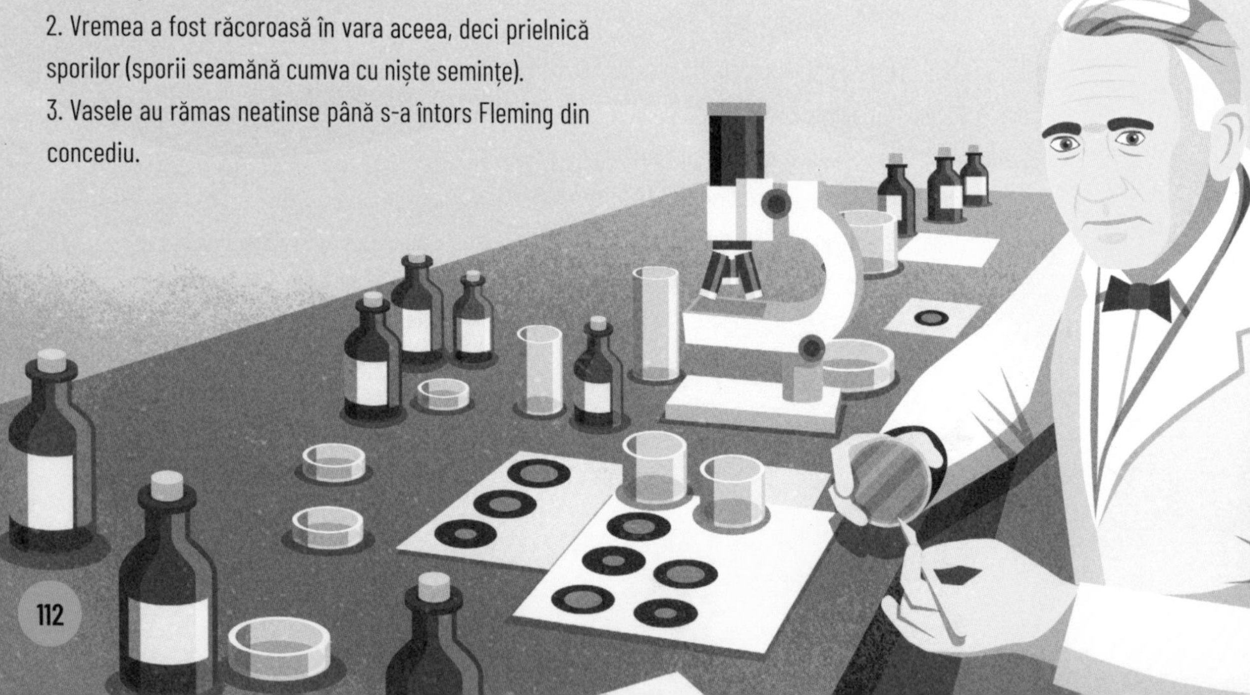

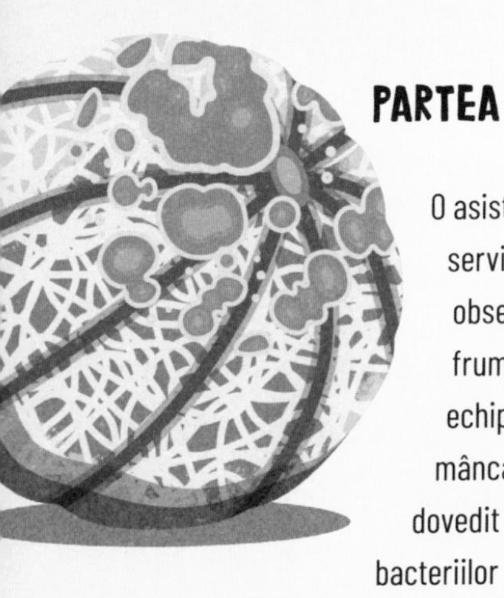

PARTEA A DOUA: CANTALUPUL ALEATORIU

O asistentă dintr-un laborator american a adus la serviciu un cantalup de la un aprozar din zonă, observând că pe el crește „un mucegai auriu, frumos". După ce au răzuit mucegaiul, membrii echipei de la laborator au tăiat pepenele și l-au mâncat. Au testat și mucegaiul, iar acesta s-a dovedit a fi de 200 de ori mai eficient împotriva bacteriilor decât tot ce descoperiseră alții. *Toată* penicilina produsă începând din ziua aia își are originea în mucegaiul de pe acel cantalup descoperit întâmplător.

Ce sunt fungii (sau ciupercile)? Mult timp, oamenii de știință i-au considerat niște plante mai ciudățele. De fapt, ei sunt mai apropiați de animale decât de plante - dar nici animale nu sunt. Majoritatea fungilor sunt mucegaiuri și drojdii.

Penicilina și alte antibiotice au salvat nenumărate vieți. Dar doctorii au început să se ferească să le prescrie prea des. Există două motive principale pentru asta:

REZISTENȚA LA ANTIBIOTICE

Cu cât bacteriile sunt mai expuse la antibiotice, cu atât au mai multe ocazii să-și dezvolte modalități de a se apăra de antibiotice și chiar să riposteze.

UCIGAȘII FĂRĂ DISCRIMINARE

Antibioticele nu țintesc doar bacteriile rele, ci distrug tot felul de bacterii, și bune, și rele.

Unii fungi mai degrabă cauzează probleme de sănătate în loc să le vindece. Mâncărimea caracteristică micozei este cauzată de o ciupercă.

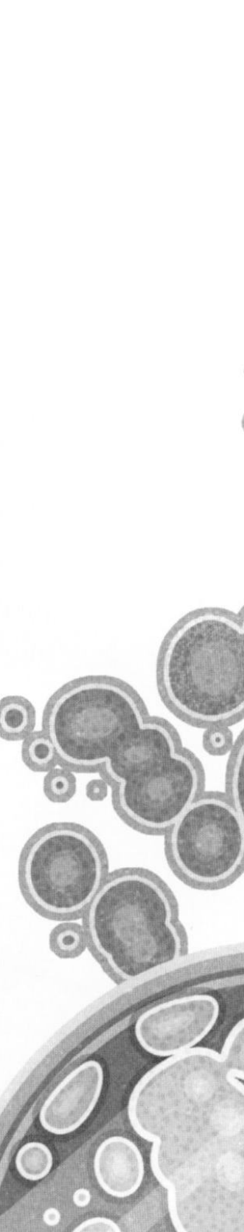

INAMICII DE ASTĂZI

După eradicarea variolei, cea mai ucigătoare boală infecțioasă de pe planetă este în prezent tuberculoza (TBC-ul). Aceasta ucide între 1,5 și 2 milioane de oameni în fiecare an. TBC-ul este produs de o bacterie. Există un vaccin contra TBC-ului și sunt și tratamente eficiente. Problema e că nu toți oamenii care au nevoie de asistență medicală o și primesc: 95% dintre cei care mor de TBC sunt din țări mai sărace.

UN INAMIC FOARTE VICLEAN

Malaria este alt mare ucigaș. Oamenii se infectează când sunt pișcați de un țânțar care a înțepat deja o persoană infectată, iar parazitul malariei se strecoară în sânge prin locul înțepăturii. Majoritatea celor aproximativ 600.000 de persoane care mor anual de malarie sunt copii din Africa.

În unele părți ale Africii, medicii folosesc șobolani antrenați special să adulmece TBC-ul în tusea cuiva. Asta îi ajută să le trateze pe persoanele infectate și să salveze vieți.

În 2021, Organizația Mondială a Sănătății a aprobat primul vaccin împotriva malariei. Acesta fusese dezvoltat după 30 de ani de muncă grea. De ce așa de mult? Pentru că parazitul își tot schimbă înfățișarea. Așa că a fost greu de găsit o cale de a învăța sistemul imunitar să-l recunoască.

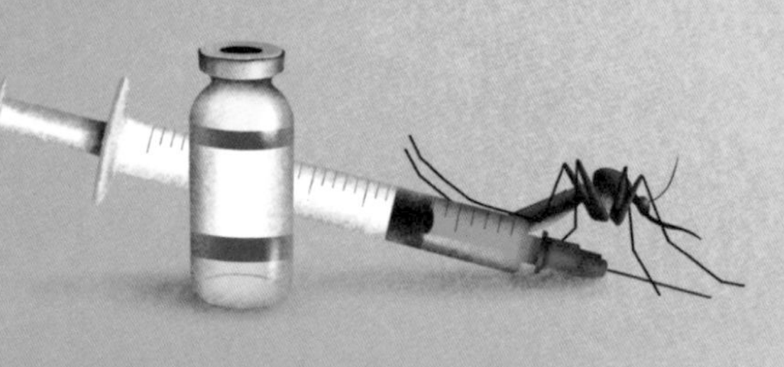

Cam *un miliard* de persoane suferă de **boli tropicale neglijate**. Acestea sunt boli care îi afectează mai ales pe săracii din unele zone ale Africii, Asiei și Americilor. Li se spune „neglijate" deoarece companiile farmaceutice (companiile care produc medicamente) nu sunt interesate să dezvolte medicamente pentru ele.

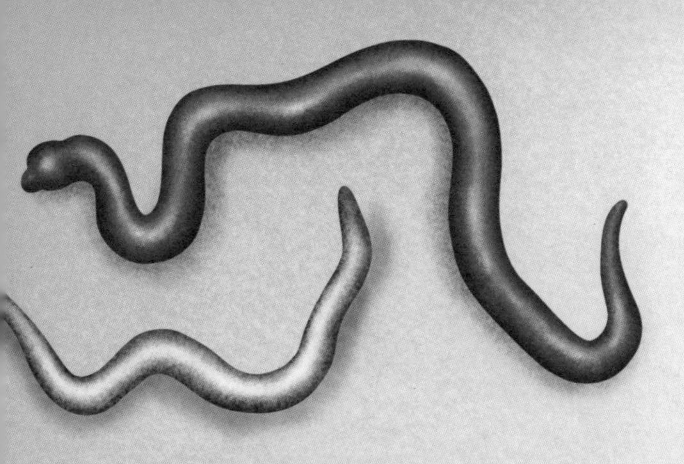

VIERMI PERFORATORI

Un exemplu de boală tropicală neglijată este **dracunculoza**. Viermii numiți dracunculi se dezvoltă până la o lungime de un metru în corpul victimelor lor. Apoi ies la suprafață perforându-le pielea. Nu există niciun vaccin sau medicament care să distrugă viermii. Odată ce viermele perforează pielea victimei, trebuie să fie răsucit pe un bețișor și tras afară foarte încet, ca să nu se rupă. Asta poate dura multe zile.

Paraziții sunt organisme care trăiesc în interiorul - sau la suprafața - altui organism și se hrănesc pe seama lui. Printre paraziții umani se numără sarcoptul râiei și anumiți viermi (inclusiv dracunculii și teniile), precum și organismul microscopic care provoacă malaria.

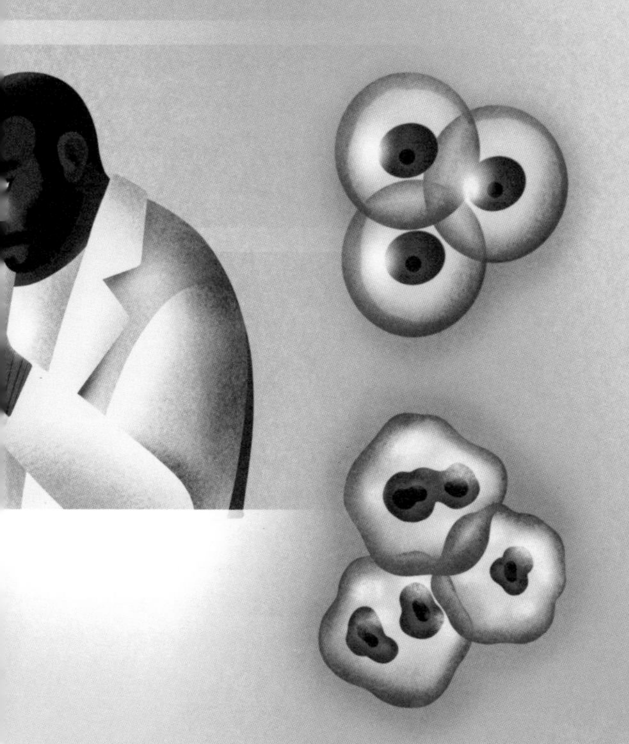

DE ASTEA NU POȚI SĂ TE MOLIPSEȘTI: BOALA CORONARIANĂ ȘI CANCERUL

Cel mai mare ucigaș de oameni din lumea de astăzi nu este o infecție, ci boala coronariană.

Boala coronariană este ceea ce se întâmplă când depozite lipidice se acumulează în pereții arterelor din inimă. Asta poate să încetinească fluxul de sânge bogat în oxigen dinspre plămâni spre mușchiul cardiac ori să-l oprească de tot. Dacă blochează fluxul, mușchiul cardiac moare.

Două modalități de a preveni boala coronariană, precum și alte boli (inclusiv cancerul) sunt:

- alimentația sănătoasă;
- mișcarea.

E adevărat că unele virusuri și bacterii pot cauza cancer. **Vaccinul împotriva papilomavirusului uman (HPV)**, care se face mai ales între vârstele de 9 și 14 ani, protejează împotriva unor tipuri de infecție cu HPV care pot cauza în principal cancer cervical mai târziu. Dar majoritatea tipurilor de cancer nu sunt cauzate de infecții.

Ce au în comun toate formele de cancer este că ele sunt alcătuite tot din celulele tale... dar aceste celule s-au sălbăticit. Unele dintre deosebirile-cheie dintre celulele canceroase și cele normale sunt că celulele canceroase:

- Se divid nelimitat.
- Ignoră orice semnale ale corpului să se oprească.
- Păcălesc organismul să le alimenteze cu sânge.
- Se răspândesc în alte părți ale corpului.

Deoarece cancerele se formează chiar din celulele corpului, poate fi dificil pentru sistemul imunitar să le recunoască drept inamici. Asta înseamnă că ele pot crește necontrolat. Dacă un cancer crește în interiorul unui organ, nerv sau vas de sânge important, poate fi letal.

ALERGIILE

Tu știi ceva despre alergia la arahide? Sau despre rinita alergică? Poate suferi și tu de vreuna din astea?

O **reacție alergică** este ceea ce se întâmplă atunci când sistemul tău imunitar reacționează la ceva care de fapt nu este dăunător.

Pentru cineva cu o alergie foarte severă la arahide, consumarea sau inspirarea chiar și celei mai mici fărâme de arahidă ar putea fi fatală. De ce? Pentru că sistemul său imunitar are o reacție de amploare exagerată. Rezultatul poate fi o scădere mare a tensiunii arteriale, însemnând că la organele lor vitale nu mai ajunge suficient sânge. (Există tratamente ce îi pot ajuta pe alergici în cazul în care consumă accidental arahide. Poate ai vreun coleg de clasă care își ia cu el la școală un astfel de medicament.)

În cazul rinitei alergice, sistemul imunitar reacționează (deși de obicei destul de ușor) la polenul plantelor. Asta te poate face să-ți curgă nasul, să te mănânce ochii și să strănuți.

Alte cauze comune ale reacțiilor alergice sunt:

- acarienii;
- scuamele sau părul de câine ori de pisică;
- înțepăturile de albine sau de viespi;
- profesorii care îți dau de făcut teme peste weekend.

Dacă ambii tăi părinți au o anumită alergie, sunt 40% șanse să suferi și tu de alergia respectivă.

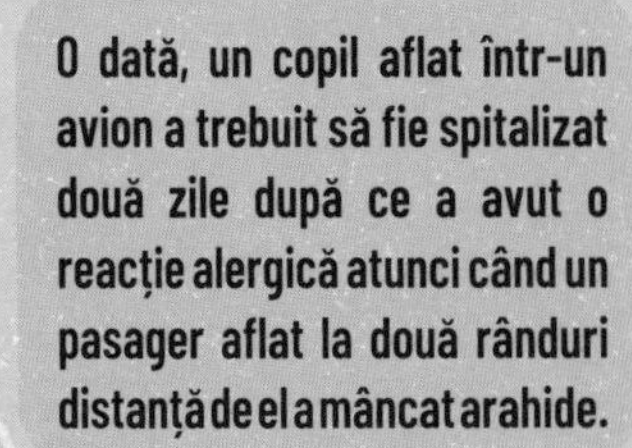
O dată, un copil aflat într-un avion a trebuit să fie spitalizat două zile după ce a avut o reacție alergică atunci când un pasager aflat la două rânduri distanță de el a mâncat arahide.

Iată un mic test pentru tine (te rog să te gândești foarte bine înainte să te uiți la răspunsuri...*):

1. De ce există alergii?

2. Cu cât o țară este mai bogată, cu atât locuitorii săi au mai multe alergii. De ce?

3. De ce reprezintă alergiile la arahide o asemenea problemă astăzi, dacă înainte nu erau o problemă?

4. De ce ar trebui să fii nevoit să faci teme în weekend?

*RĂSPUNSURI:
1. Nu știe nimeni.
2. Nu știe nimeni.
3. Nu știe nimeni.
4. Nu știe nimeni.

Deci alergiile se manifestă când sistemul imunitar, de obicei genial, înțelege totul pe dos și tratează ceva inofensiv (sau nu foarte vătămător, cum ar fi veninul de albine) drept Inamic Periculos. Mai rar, sistemul imunitar consideră că inamicul este un grup de celule ale persoanei respective. Când se întâmplă asta avem de-a face cu o **boală autoimună**.

Cum devine sistemul imunitar atât de perturbat încât atacă celulele sănătoase ale corpului? Din nou... pur și simplu nu știm.

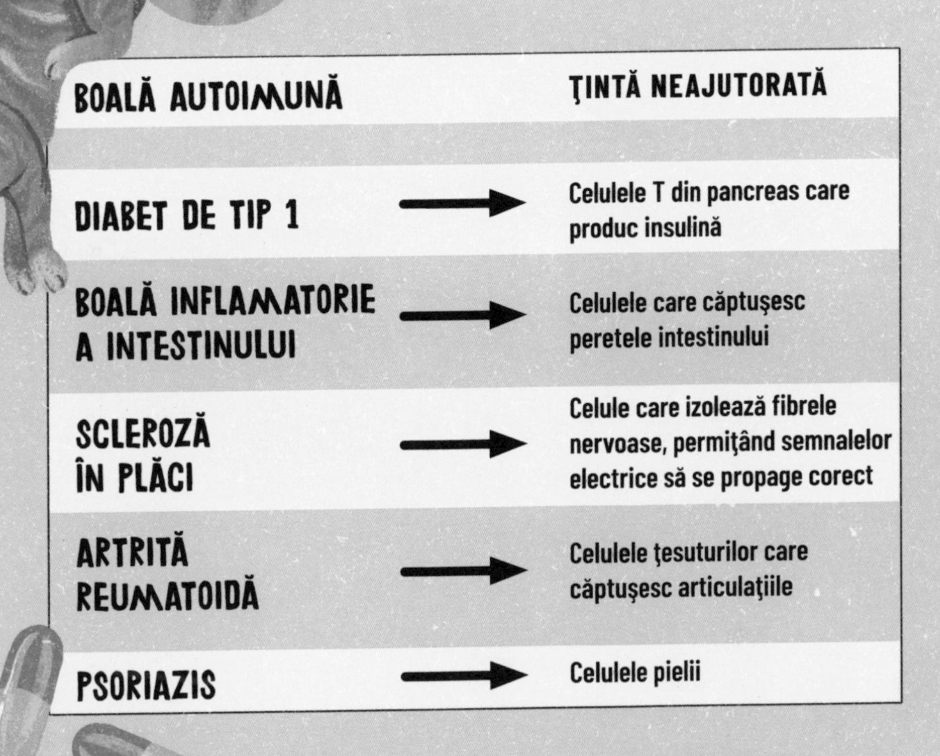

BOALĂ AUTOIMUNĂ	ŢINTĂ NEAJUTORATĂ
DIABET DE TIP 1	Celulele T din pancreas care produc insulină
BOALĂ INFLAMATORIE A INTESTINULUI	Celulele care căptușesc peretele intestinului
SCLEROZĂ ÎN PLĂCI	Celule care izolează fibrele nervoase, permițând semnalelor electrice să se propage corect
ARTRITĂ REUMATOIDĂ	Celulele țesuturilor care căptușesc articulațiile
PSORIAZIS	Celulele pielii

ÎMBĂTRÂNIREA

Când s-a născut Jeanne Calment, nu existau nici avioane, nici mașini. Nici măcar lumină electrică nu exista. Când a murit, oamenii pășiseră pe Lună, inventaseră internetul și realizaseră nu mai puțin de cinci filme cu Batman. Calment s-a născut în Franța, la 21 februarie 1875. A murit 122 de ani și 164 de zile mai târziu, la 4 august 1997. Oficial, este persoana cea mai longevivă care a trăit vreodată.

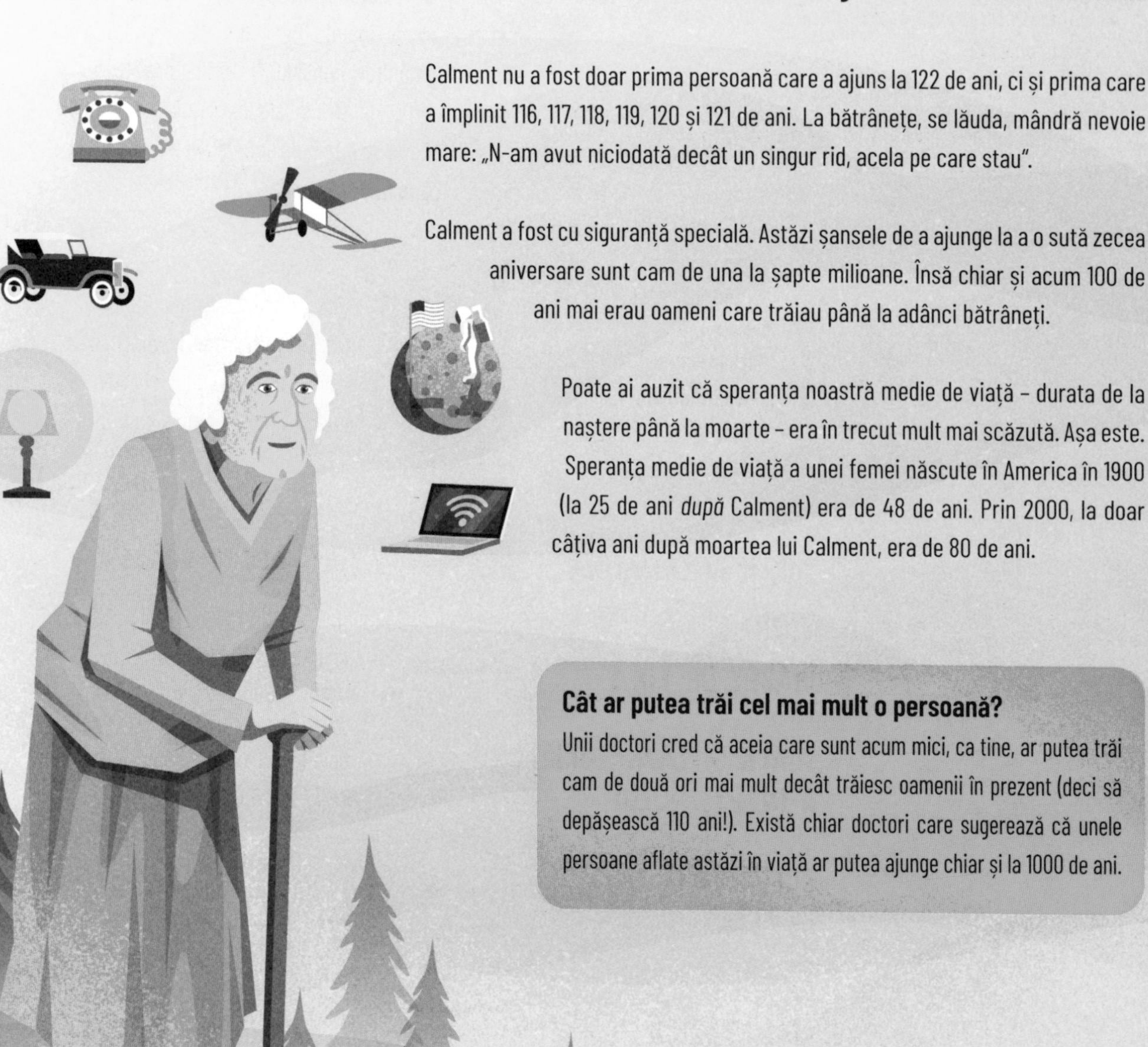

Calment nu a fost doar prima persoană care a ajuns la 122 de ani, ci și prima care a împlinit 116, 117, 118, 119, 120 și 121 de ani. La bătrânețe, se lăuda, mândră nevoie mare: „N-am avut niciodată decât un singur rid, acela pe care stau".

Calment a fost cu siguranță specială. Astăzi șansele de a ajunge la a o sută zecea aniversare sunt cam de una la șapte milioane. Însă chiar și acum 100 de ani mai erau oameni care trăiau până la adânci bătrâneți.

Poate ai auzit că speranța noastră medie de viață – durata de la naștere până la moarte – era în trecut mult mai scăzută. Așa este. Speranța medie de viață a unei femei născute în America în 1900 (la 25 de ani *după* Calment) era de 48 de ani. Prin 2000, la doar câțiva ani după moartea lui Calment, era de 80 de ani.

Cât ar putea trăi cel mai mult o persoană?

Unii doctori cred că aceia care sunt acum mici, ca tine, ar putea trăi cam de două ori mai mult decât trăiesc oamenii în prezent (deci să depășească 110 ani!). Există chiar doctori care sugerează că unele persoane aflate astăzi în viață ar putea ajunge chiar și la 1000 de ani.

DAR DE CE ÎMBĂTRÂNIM ȘI MURIM?

Există o mulțime de teorii (doar că nu știm dacă vreuna dintre ele este și corectă). Iată-le pe principalele trei:

- Genele se defectează și te ucid.
- Corpul pur și simplu se uzează.
- Celulele se înfundă cu deșeuri.

Dar sunt unele schimbări despre care știm că se vor produce pe măsură ce îmbătrânim:

- Vezica urinară devine mai puțin elastică și nu mai poate reține la fel de mult pipi.
- Și pielea își pierde elasticitatea. De asemenea, devine mai uscată și mai aspră.
- Vasele sangvine se sparg mai ușor, însemnând că apar mai des vânătăi (acestea nu sunt decât niște băltuțe de sânge care s-a scurs sub piele).
- Sistemul imunitar slăbește.
- Volumul de sânge pompat în corp la fiecare bătaie a inimii scade treptat (ceea ce înseamnă că la organe ajunge mai puțin sânge).

MENOPAUZA

La vârsta de 45-55 de ani, încetează definitiv menstruația la femei. Asta se cheamă **menopauză**. Nivelurile unor hormoni se modifică radical. Femeile nu mai pot rămâne însărcinate. În trecut doctorii credeau că menopauza survine când femeia rămâne fără ovule, dar nu e adevărat.

Vrei să-ți spun însă ceva foarte ciudat? În afară de specia umană, oile sunt cam singurele ființe terestre care au menopauză. Majoritatea animalelor nu au. Nici pisicile, nici purcelușele, nici măcar cimpanzițele.

MOARTEA

Ce este moartea?
În mod ciudat, nu toți experții – și nici măcar toate țările – au aceeași părere despre ceea ce este de fapt moartea.

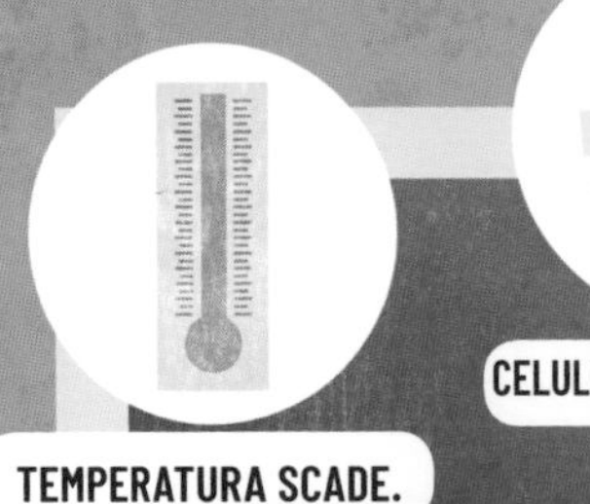

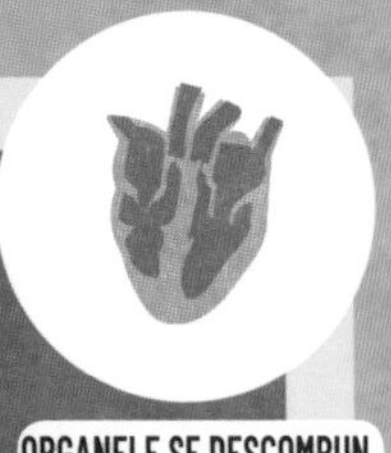

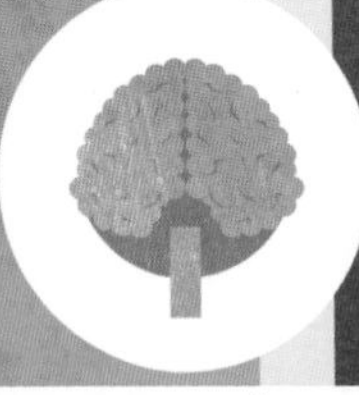

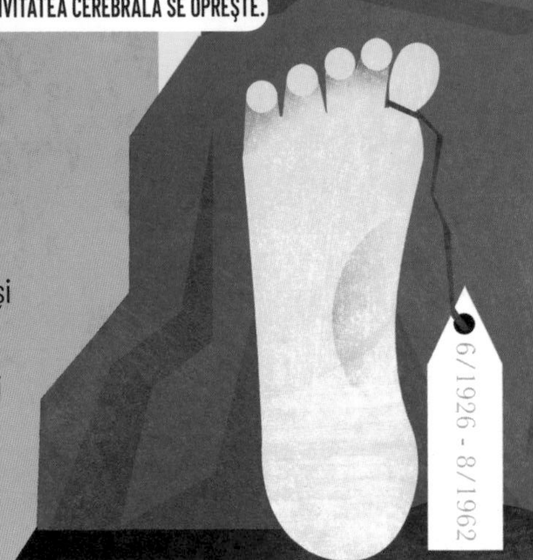

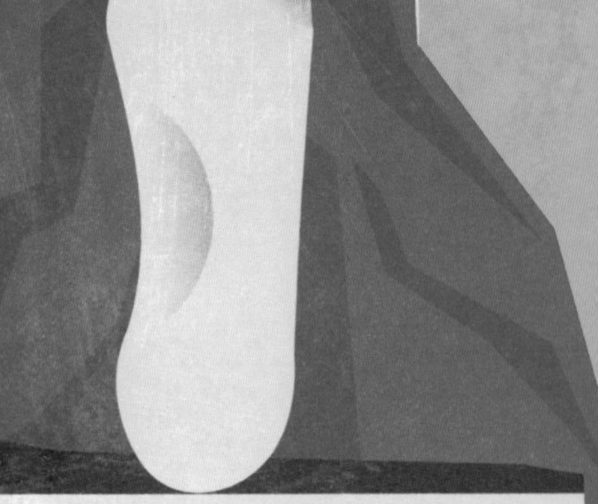

În Marea Britanie, se spune că moartea survine când:

- persoana respectivă își pierde capacitatea de a-și mai recăpăta cunoștința;
- toate funcțiile trunchiului cerebral (cum ar fi să spună inimii să bată și plămânilor să se umfle) se opresc.

CE SE ÎNTÂMPLĂ CÂND MORI?

Aproape dintr-odată, sângele începe să se retragă din capilarele aflate aproape de suprafața pielii, ceea ce o face palidă.

Țesuturile încep să se deterioreze foarte rapid. De aceea organele pentru transplant sunt recoltate cât mai curând posibil după moartea donatorului.

Unele organe continuă să funcționeze mai mult timp decât altele după moarte. Celulele cerebrale se duc repede, în maximum trei-patru minute. Dar celulele musculare și cutanate pot rezista ore întregi – poate chiar o zi întreagă.

De fapt, un cadavru este încă foarte plin de viață. Nu, *persoana* nu mai este în viață, dar toate bacteriile din interiorul corpului, plus toate celelalte care îl invadează acum sunt cât se poate de vii. În timp ce devorează trupul, produc tot soiul de gaze urât mirositoare. Când carnea dispare cu totul, nu mai are ce să producă miros.

În unele condiții, acest proces de descompunere este întrerupt. Asta se poate întâmpla natural, ca atunci când corpul cade într-o turbărie și este conservat (pentru că acizii din turbă practic murează carnea). Dar se poate face și intenționat.

MUMIFICAREA

Tu ai văzut poze cu mumiile din Egiptul Antic? Sau poate ai văzut niște mumii mai de-aproape în vreun muzeu? Când faraonii și alți membri ai nobilimii mureau în Egiptul Antic, corpul lor era conservat. Li se scoteau majoritatea organelor (deși inima era lăsată la locul ei). Pentru a extrage creierul, li se băga pe nas o vergea subțire de metal care era apoi agitată bine. Creierul era ca bătut cu telul, transformându-se într-o mâzgă lichefiată care se putea scurge afară pe nări.

Apoi, corpul era lăsat la uscat timp de 40 de zile. După aceea era uns cu niște conservanți naturali (lucruri care împiedicau descompunerea corpului), precum ceară de albine, și înfășurat în multe straturi de pânză. Asta încheia procesul de mumificare.

CE SE ÎNTÂMPLĂ DACĂ ŢI SE TAIE CAPUL?

În trecut, unii criminali erau decapitați drept pedeapsă, iar mulțimile se adunau să privească. Unii spuneau că ar fi văzut capete retezate care ar fi clipit sau chiar ar fi încercat să vorbească.

În 1803, doi oameni de știință germani au vrut să verifice aceste relatări. S-au repezit la capete în timp ce acestea cădeau, strigând: „Mă auzi?!". N-a răspuns nimeni. Așa că au tras concluzia că, atunci când este despărțit de trup, creierul își pierde cunoștința instantaneu - sau cel puțin prea repede pentru a detecta momentul exact.

CÂT DE REPEDE?

Estimările moderne variază între două și șapte secunde. Adică foarte repede. Dar tot înseamnă că un creier dintr-un cap retezat ar putea avea o experiență extracorporală veritabilă.

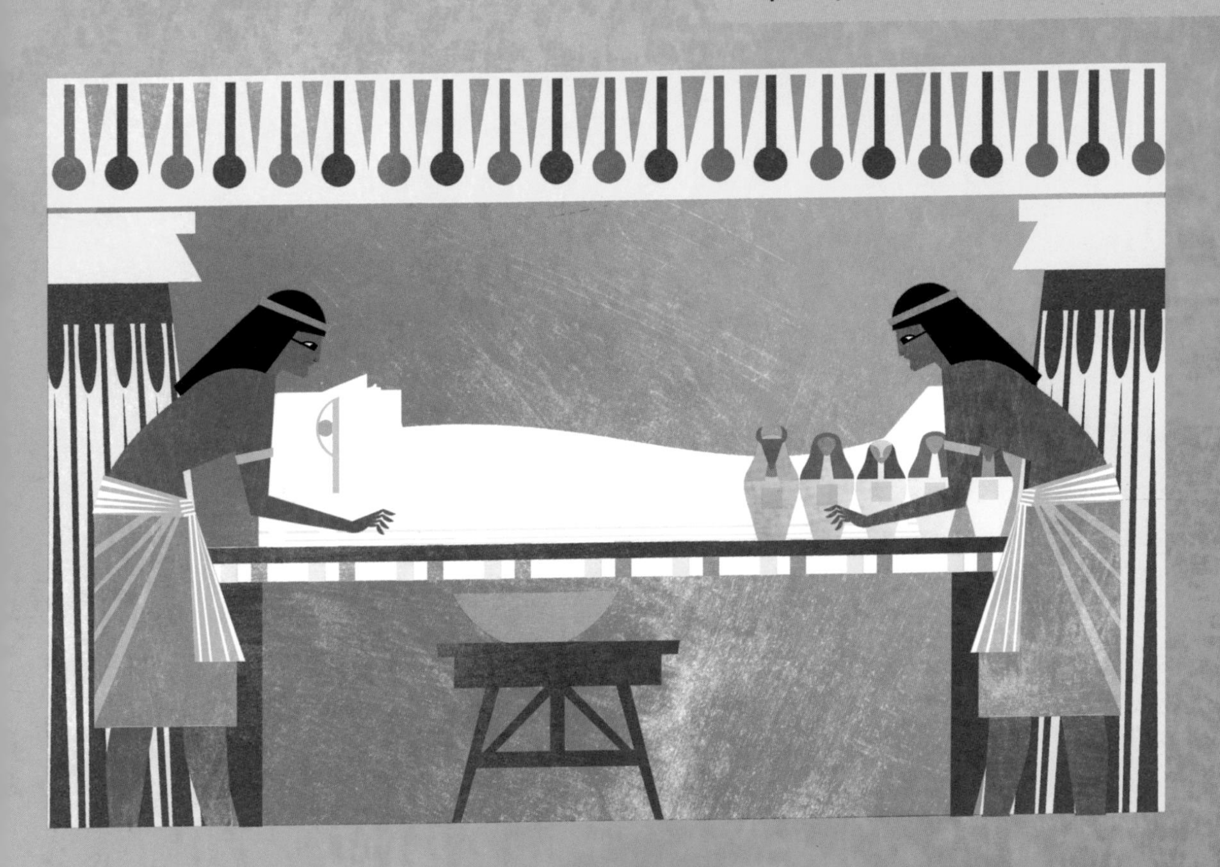

CUM AU PĂCĂLIT UNII MOARTEA

Ți-am spus povești îngrozitoare despre infecții oribile și morți crâncene. Dar există și niște povești incredibile despre supraviețuire.

Corpul tău este foarte rezistent. Iar după cum știi, creierul tău se străduiește din răsputeri să te țină în viață. Unele experimente nu tocmai plăcute au dezvăluit lucrurile uluitoare de care este capabil. Uite, de exemplu, căldura extremă...

MARELE CUPTOR

În secolul al XVII-lea, un medic din Londra pe nume Charles Blagden a construit un soi de cuptor suficient de mare ca să intre în el un om. El și prietenii lui (probabil că îi erau prieteni foarte buni dacă au acceptat să se bage în tărășenia asta) stăteau în cuptor cât de mult suportau. Blagden a reușit să stea zece minute la o temperatură de 92,2 grade Celsius. Prietenul lui, un botanist faimos pe nume Joseph Banks, a reușit să suporte temperatura de 99,4 grade – însă numai șapte minute.

Deloc surprinzător, pielea voluntarilor s-a încins foarte tare. Dar Blagden le-a măsurat și temperatura urinei. A făcut asta chiar înainte și imediat după experiența cuptorului. Și a descoperit că nu era nicio schimbare. Deci „temperatura corporală" internă rămăsese aceeași. Asta arăta rezistența corpului uman – el își poate regla temperatura chiar și atunci când afară temperaturile sunt extreme. (A observat și că voluntarii transpirau abundent. Așa a dedus că transpirația este importantă pentru răcorirea corpului.)

O parte din ceea ce știm despre rezistența corpului uman nu provine din experimente, ci din accidente și salvări „miraculoase".

CONGELAREA

Când Erika Nordby era foarte micuță, s-a trezit într-o noapte și a ieșit din casa ei din Canada. Era în toiul iernii, iar afară era un ger de crăpau pietrele. Când a fost găsită în cele din urmă, inima nu-i mai bătea de cel puțin două ore. Dar Erika a fost încălzită cu grijă la un spital local și și-a revenit complet. La doar vreo două săptămâni după aceea, un băiețel de 2 ani de la o fermă din SUA a pățit cam același lucru. Și el și-a revenit pe deplin. Pare extraordinar – dar ultimul lucru pe care și-l dorește corpul este să moară.

CUM E SĂ CAZI DIN AVION ȘI SĂ SCAPI CU VIAȚĂ (ȘI ASTA NU E TOT!)

Pe 24 martie 1944, un militar pe nume Nicholas Alkemade se afla într-un avion al RAF care zbura deasupra Germaniei. Avionul său a fost lovit, fiind cuprins de flăcări. Până să ajungă el la parașută, aceasta luase foc. Așa că a decis să sară...

Se afla la aproape cinci kilometri deasupra solului și cădea cu 190 de kilometri pe oră. „Era foarte liniște", își amintea el mai târziu. Nu avea nicio senzație de cădere. „Parcă aș fi fost suspendat în spațiu."

Brusc, s-a trezit căzând printre ramurile unor pini. Cu o bufnitură, a aterizat într-un morman de zăpadă, în fund. Își pierduse, nu știa cum, ambii bocanci, îl durea un genunchi și avea niște julituri. Dar altfel era nevătămat.

După al Doilea Război Mondial, Alkemade s-a angajat la o uzină chimică. În timp ce lucra cu clor gazos, i s-a desprins masca de gaze. A fost expus unor niveluri periculos de mari de substanță. A zăcut inconștient timp de 15 minute până când niște colegi l-au scos de acolo. În mod miraculos, a scăpat cu viață.

După ce s-a întors la muncă, lucra la o conductă într-o zi, când aceasta s-a rupt și l-a stropit din cap până-n picioare cu acid sulfuric. A suferit arsuri pe o suprafață mare a corpului. Dar a scăpat cu viață.

La scurt timp după ce s-a întors iar la lucru, o bară metalică de aproape trei metri a căzut peste el de la înălțime, cât pe ce să-l ucidă. Incredibil, a scăpat cu viață.

După asta și-a găsit o slujbă mult mai puțin periculoasă – ca vânzător de mobilă. Alkemade a murit liniștit în patul lui la 64 de ani.

CORPUL NOSTRU SUPORTĂ TOT SOIUL DE TRÂNTE ȘI LOVITURI. DAR POATE FI NEMAIPOMENIT DE REZILIENT.

IATĂ-L AȘADAR

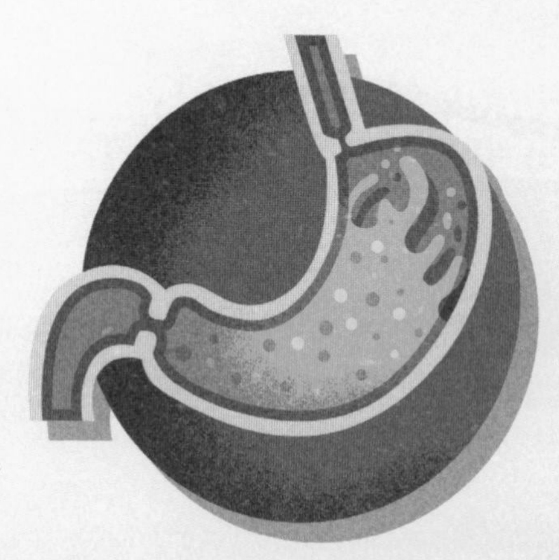

De la stomacul tău care împroașcă cu acid
la rinichii obsedați de curățenie...

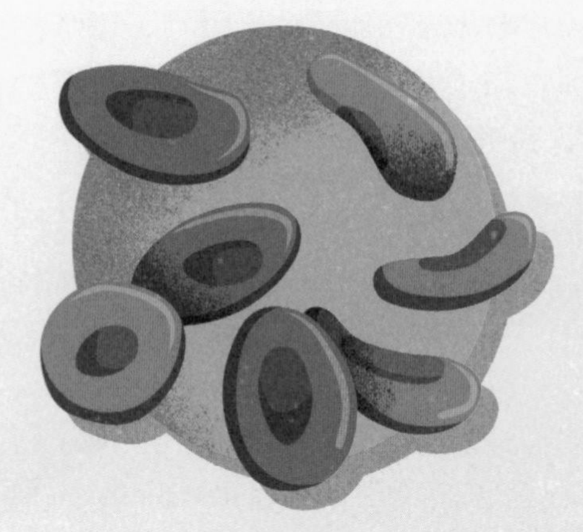

De la celulele greu încercate ale sângelui
până la plămânii tăi dătători de viață...

De la solzii de pe scalpul tău plin
de acarieni la pârțurile puturoase....

ACEASTA A FOST POVESTEA UIMITOARE
A CORPULUI TĂU INCREDIBIL.

E OK să nu-ți prea bagi corpul în seamă mai tot timpul. El știe că ești ocupat. Adică Xbox-ul și televizorul sunt extrem de solicitante. Iar corpul își va vedea în continuare de treabă fără să te deranjeze, indiferent dacă te gândești la el sau nu. Însă măcar câteodată – poate după ce ți-ai julit genunchiul și pielea începe deja să se vindece sau când te zbânțui și sistemul tău vestibular te ajută să rămâi în picioare – oprește-te un pic și amintește-ți cât este de grozav corpul tău.

Dacă ai reușit să ajungi la sfârșitul acestei cărți citind-o pe bune, nu doar frunzărind-o (te cunosc eu...), poate ai mai observat ceva: sunt destul de multișoare lucrurile pe care oamenii de știință încă nu le cunosc despre corp. Să sperăm că, până mai crești, o să mai ofere niște răspunsuri decente. Dacă nu, nu-ți cer să faci experimente băgându-ți vreun tubuleț în inimă sau altceva de genul ăsta (vorbesc serios!) – dar poate că tu vei fi acela care va găsi unele dintre aceste răspunsuri.

Oricum alegi să afli mai multe despre minunăția care este corpul tău, sper că ți se pare și ție la fel de fascinant cum îl consider eu.

INDEX

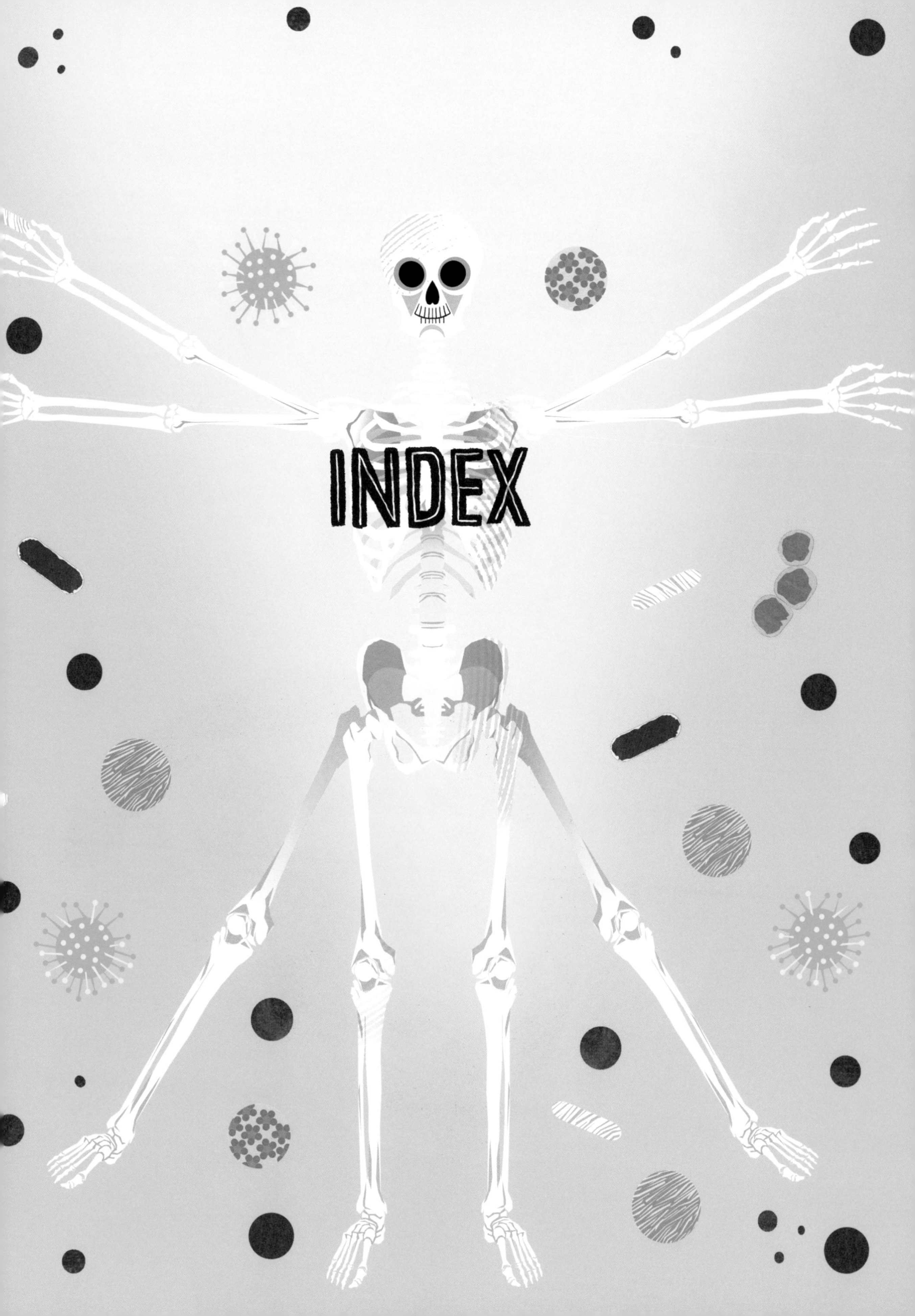

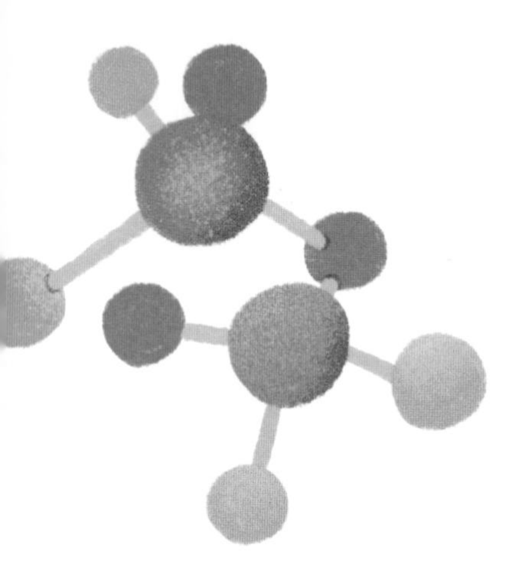

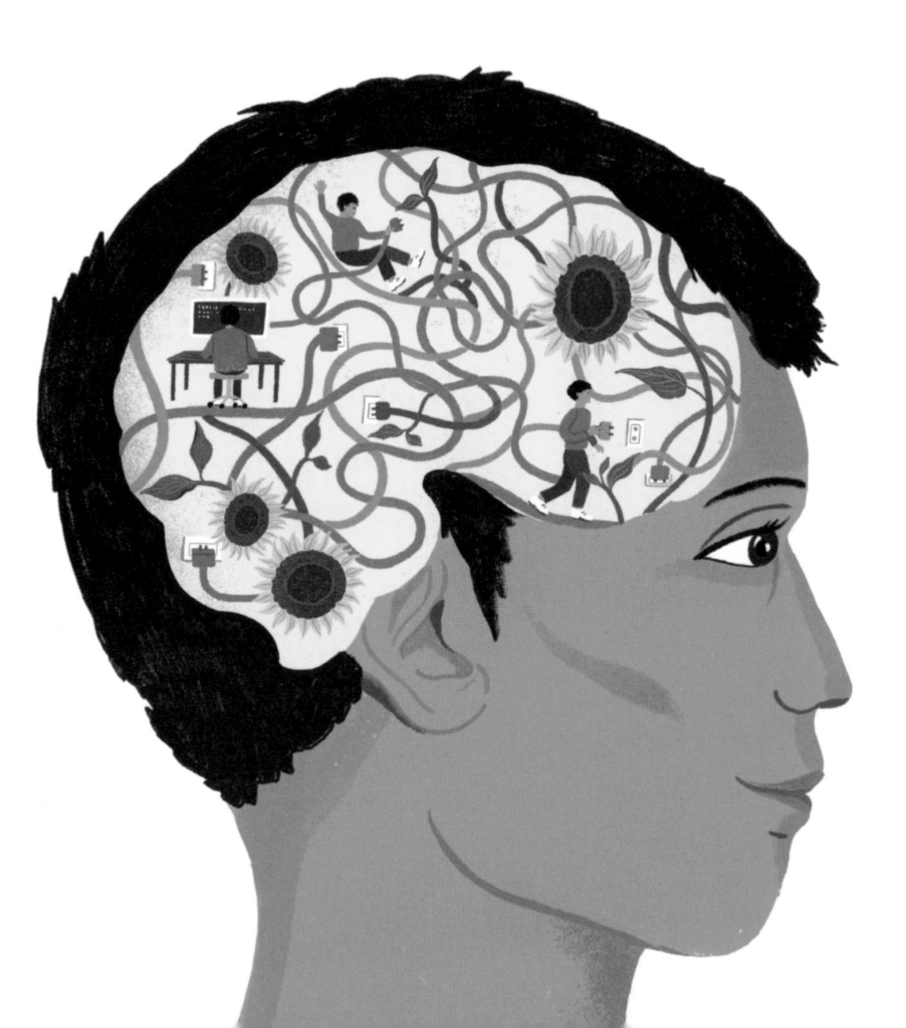

C

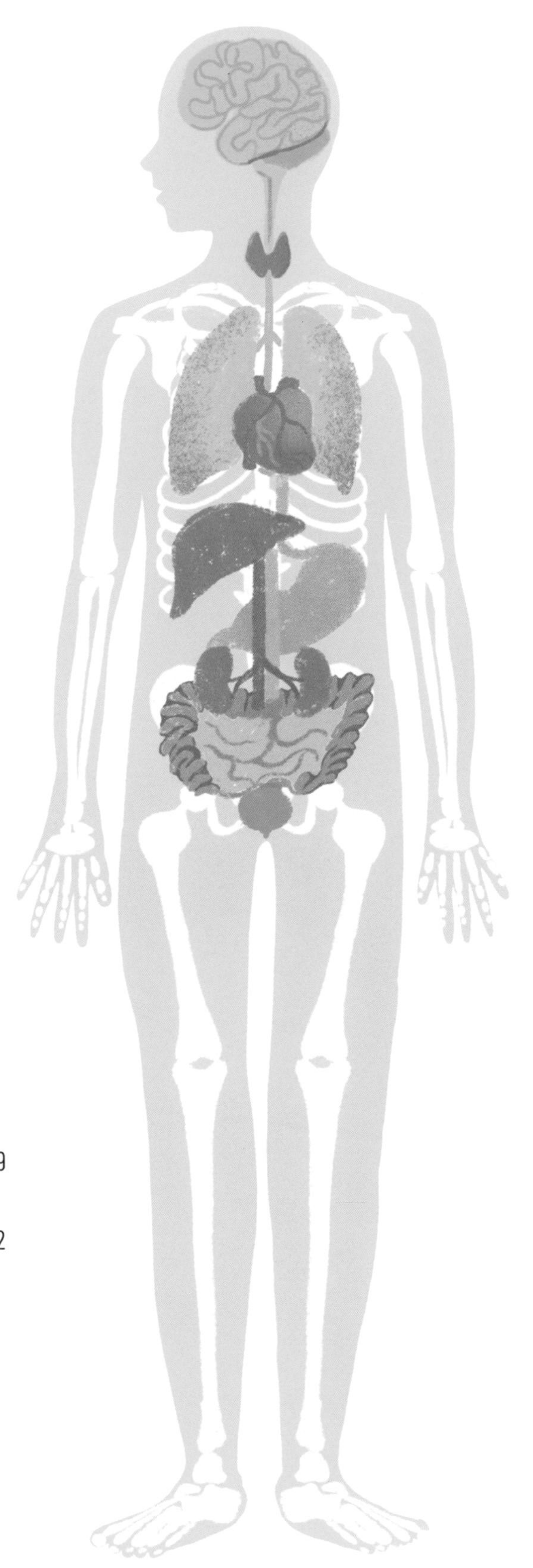

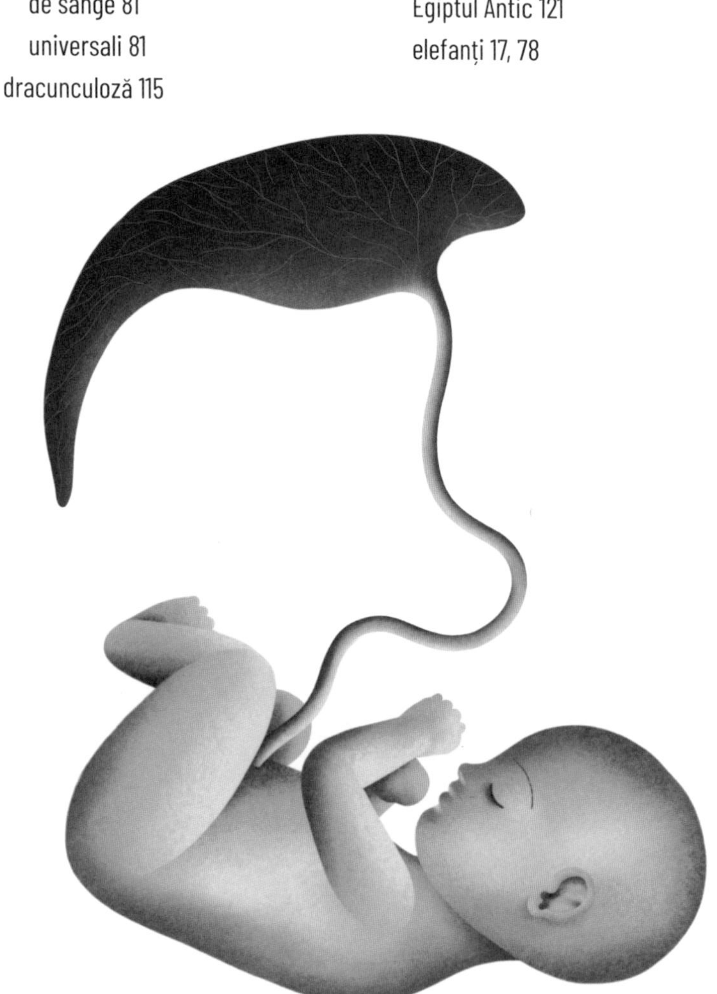

G

H

I

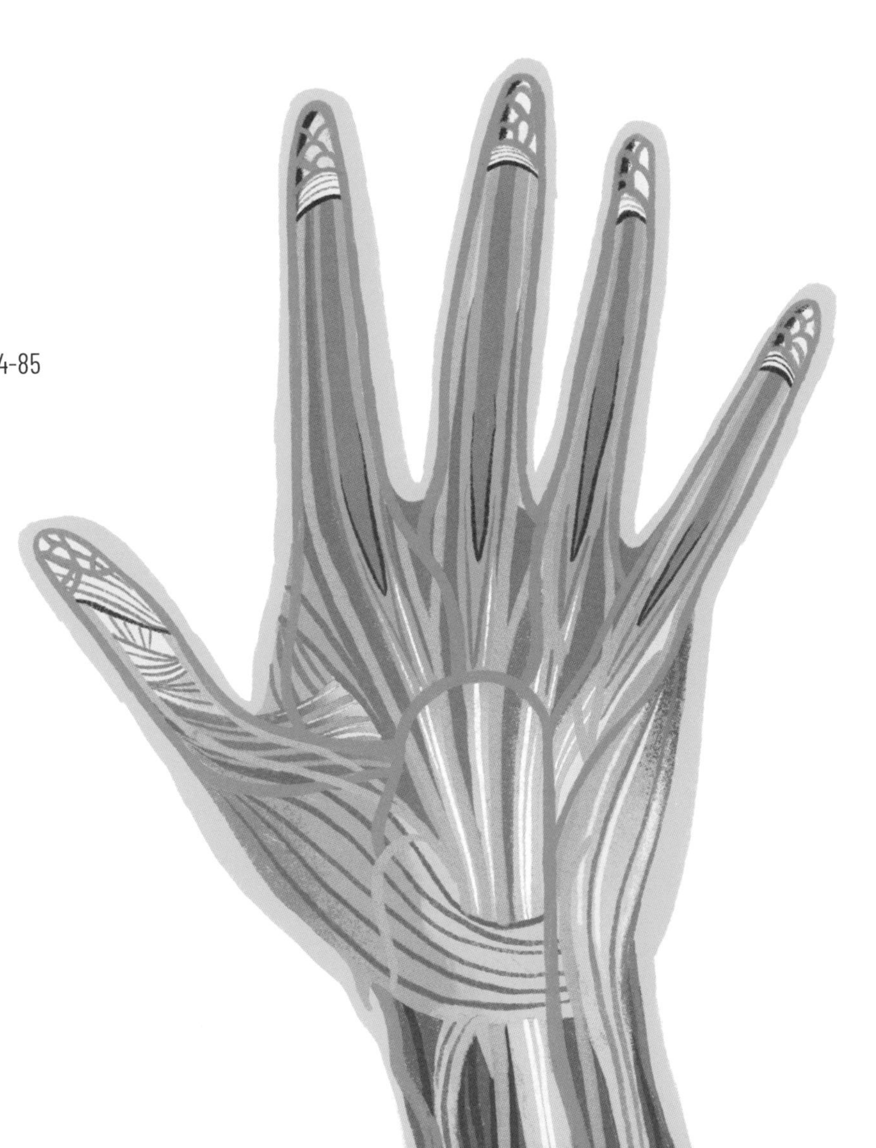

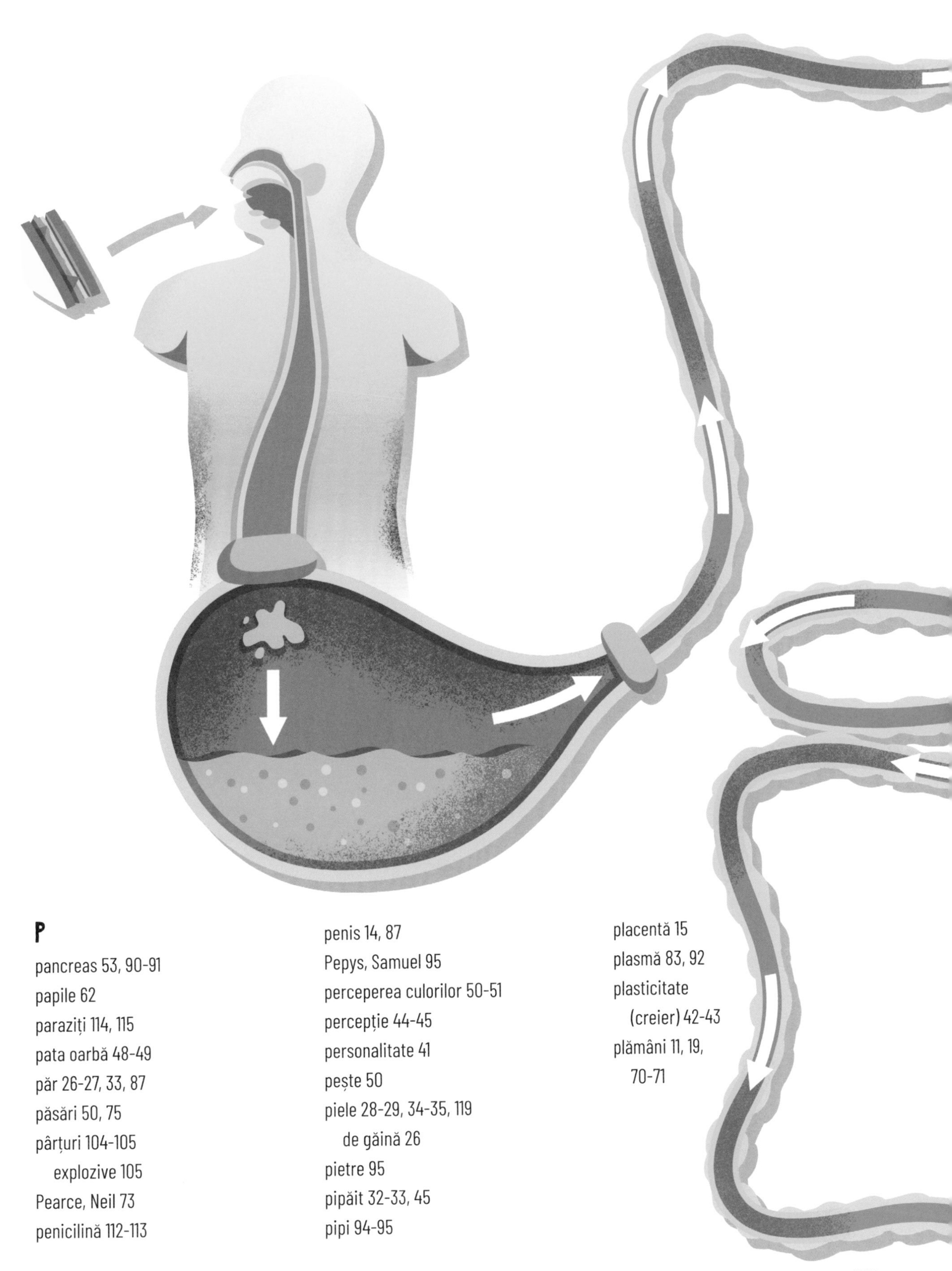

P

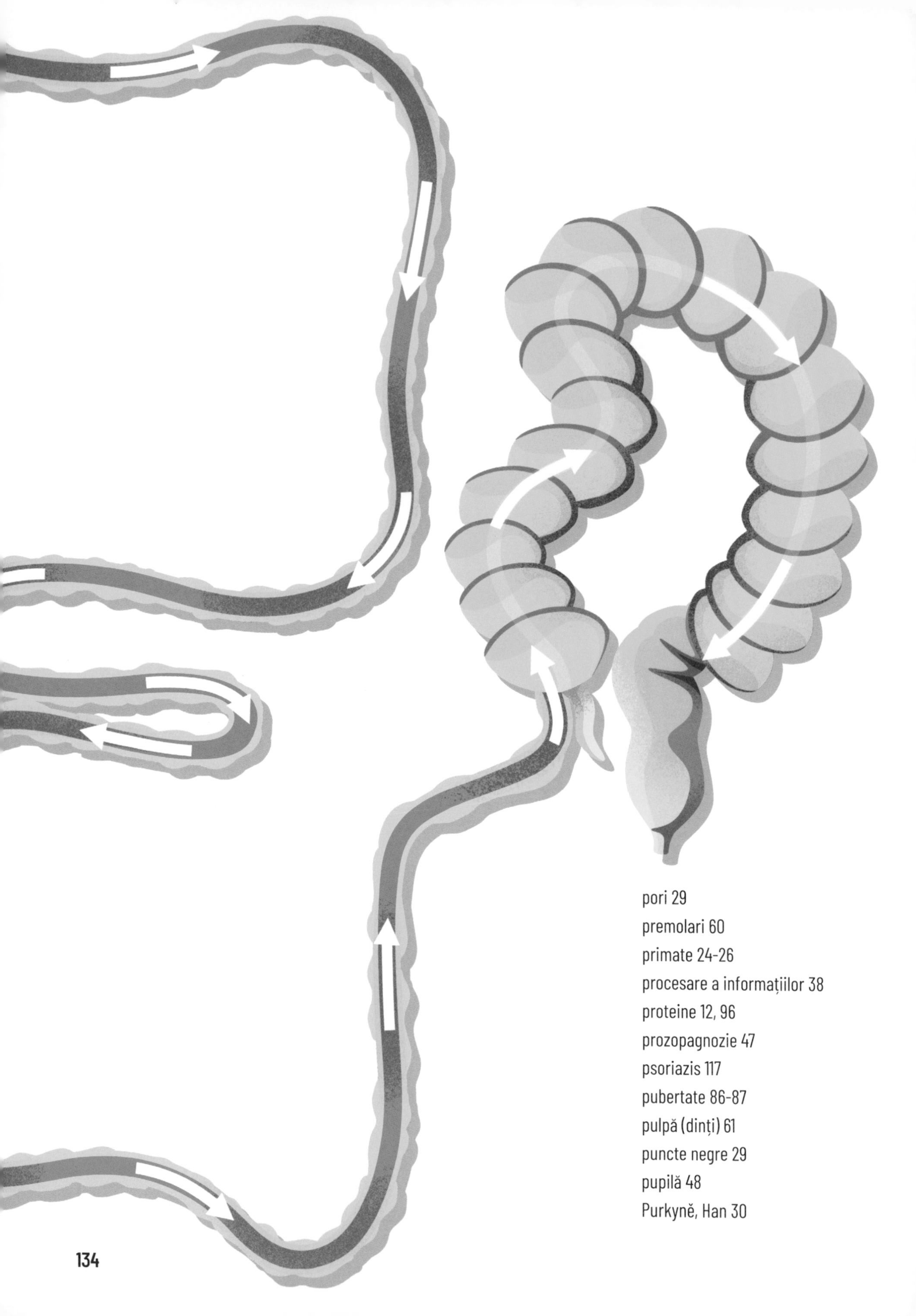

R

S

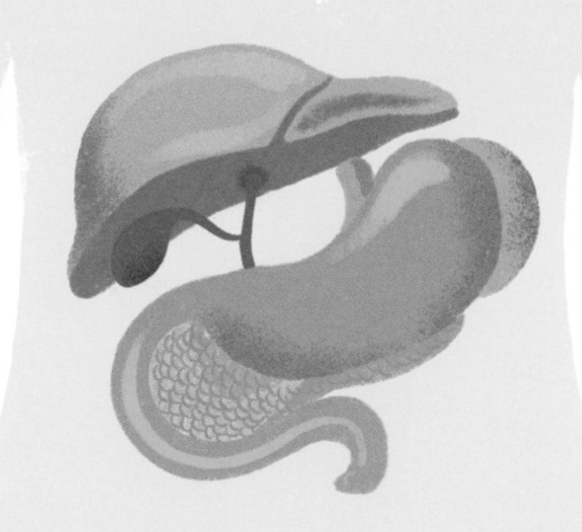

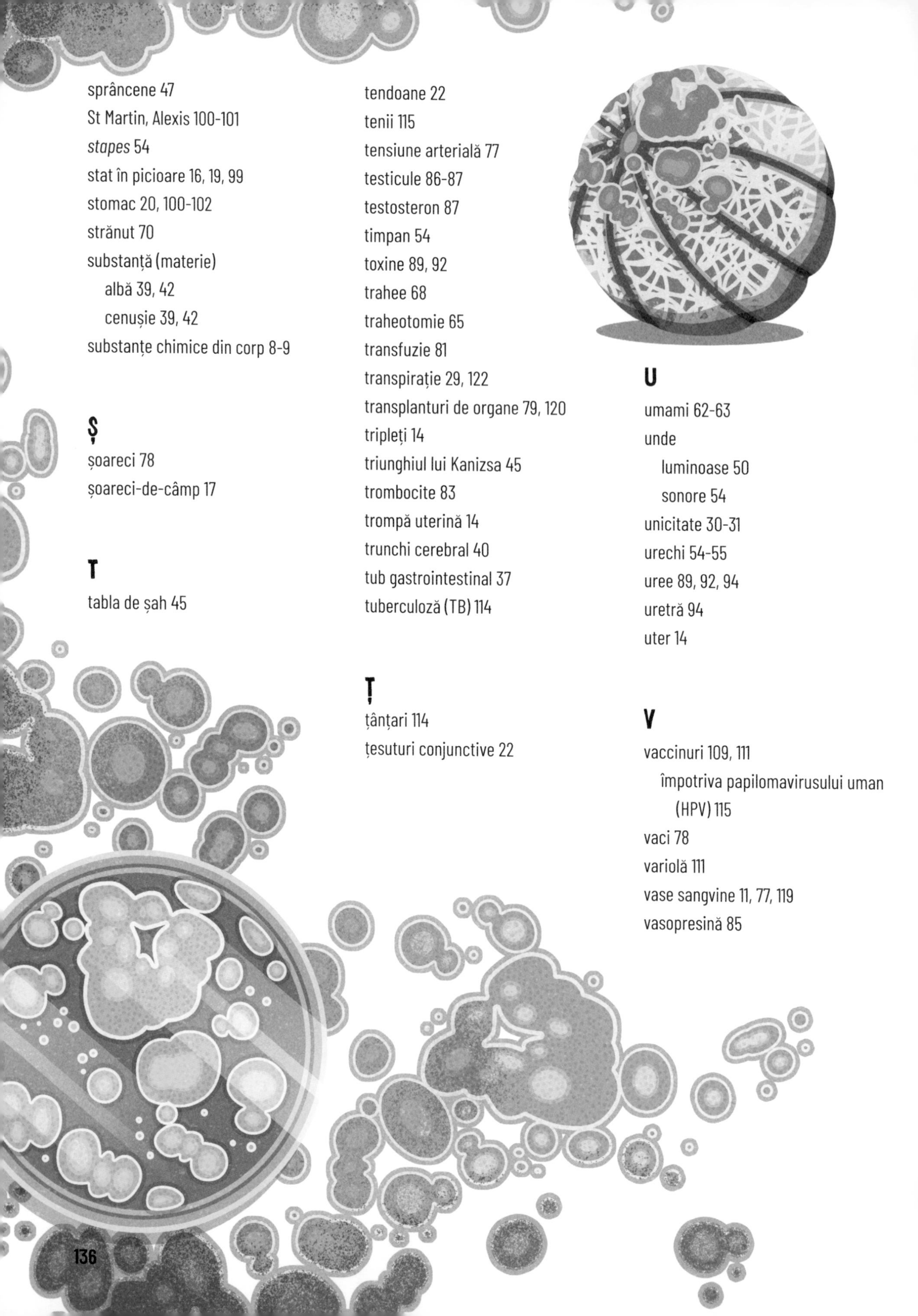

Ș

T

Ț

U

V

W

Z

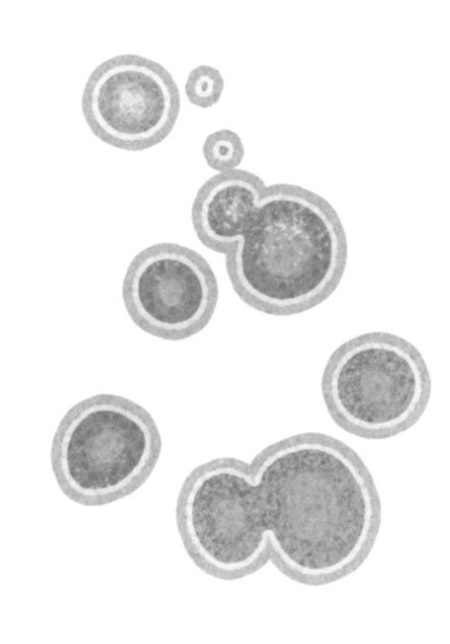

www.polirom.ro

Redactor: Cătălina Staicu
Coperta: Radu Răileanu
Tehnoredactor: Vasilica Zevoi

Bun de tipar: martie 2024. Apărut: 2024
Editura Polirom, B-dul Carol I nr. 4 • P.O. BOX 266
700505, Iaşi, Tel. & Fax: (0232) 21.41.00; (0232) 21.41.11;
(0232) 21.74.40 (difuzare); E-mail: office@polirom.ro
Bucureşti, Splaiul Unirii nr. 6, bl. B3A,
sc. 1, et. 1, sector 4, 040031, O.P. 53
Tel.: (021) 313.89.78; E-mail: office.bucuresti@polirom.ro

Tiparul executat la S.C. Tipo-Lidana S.R.L.,
Calea Unirii, nr. 35, Suceava
Tel. 0230/517.518; Fax: 0330/401.062
E-mail: office@tipolidana.ro; www.tipolidana.ro

Mai vrei cărţi de

BILL BRYSON?

Descoperă incredibila carte
despre viaţă, despre univers
şi despre toate...

Dă pagina ca să vezi
cam cum e!

CUM DE SE ȘTIE ASTA?

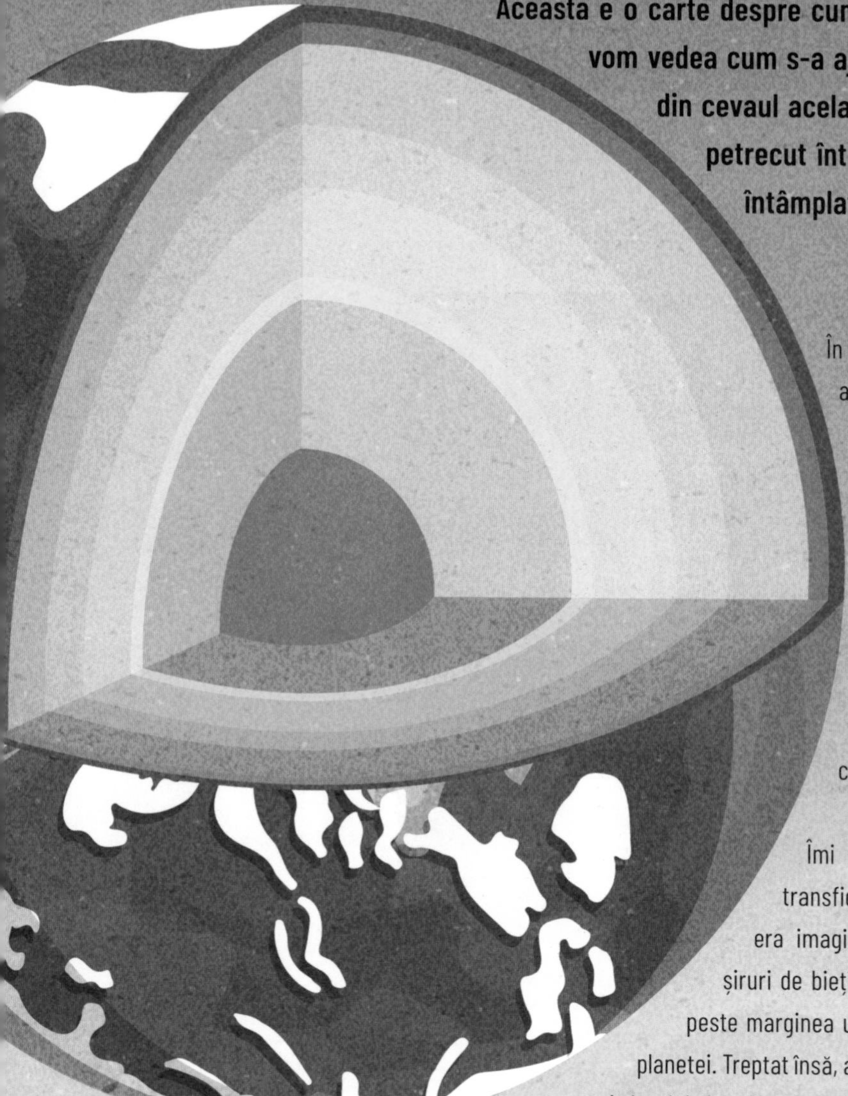

Aceasta e o carte despre cum a luat ființă universul – în special, vom vedea cum s-a ajuns de la nimic la ceva. Şi-apoi cum din cevaul acela mic am apărut și noi, despre ce s-a petrecut între cele două momente și ce s-a mai întâmplat de atunci.

În cazul meu, punctul de plecare, dacă merită amintit, a fost un manual de științe pe care l-am avut prin clasa a patra sau a cincea la școala americană unde mergeam. Era un manual obișnuit din anii 1950 – uzat, neîndrăgit de nimeni și voluminos –, însă undeva pe primele pagini avea o ilustrație care pur și simplu m-a captivat: o diagramă în secțiune înfățișa interiorul Pământului așa cum ar arăta dacă am tăia din planetă, cu un cuțit mare, o felie cam cât un sfert din volumul ei și am extrage-o atent.

Îmi amintesc perfect că am fost pur şi simplu transfigurat. Ceea ce cred că-mi stârnise interesul era imaginea îngrozitoare, în închipuirea mea, a unor șiruri de bieți șoferi care, fără să bănuiască nimic, plonjau peste marginea unei stânci de 6.400 de metri direct în centrul planetei. Treptat însă, am ajuns să privesc desenul cu ochii mai maturi ai elevului și să-i înțeleg mai bine sensul științific: Pământul era format din straturi separate ce aveau în centru o sferă strălucitoare de fier și nichel, la fel de fierbinte ca suprafața Soarelui, conform explicației de sub ilustrație. Îmi amintesc că m-am întrebat uluit: **Cum de se știe asta?**

Am crescut cu convingerea că științele sunt tare plictisitoare – dar cu bănuiala că n-aveau de ce să fie așa.

E UN MIRACOL!

Sunt absolut convins că informația e corectă – încă tind să dau crezare oamenilor de știință, ca și chirurgilor și instalatorilor. Dar nu pricepeam în ruptul capului cum poate mintea omenească să înțeleagă înfățișarea și compoziția unor zone aflate la mii de kilometri distanță sub noi, zone pe care nu le văzuse nimeni niciodată și la care nu ajungeau nici măcar razele X. **Pentru mine era, pur și simplu, un miracol.**

CUM ȘI DE CE?

Emoționat, am luat seara cartea acasă, am deschis-o înainte de cină – când m-a văzut, mama cred că mi-a pus mâna pe frunte să vadă dacă mi-era bine – și am început să citesc chiar de la prima pagină. **Și, ce să vezi. Nu era captivantă deloc.**

În primul rând, nu răspundea la nici una din chestiunile la care se refereau ilustrațiile, și anume:

- Cum de ajunseserăm să avem un soare în mijlocul planetei și cum se știa cât e de fierbinte?
- Și dacă frige acolo jos, de ce pământul pe care călcăm nu e fierbinte?
- Și cum de restul interiorului Pământului nu se topește – sau se topește?
- Și când miezul Pământului se va topi complet, oare o parte din Pământ se va prăbuși în interior, lăsând la suprafață o gaură uriașă?

CINE ȘTIA RĂSPUNSURILE?

În mod ciudat, autorul manualului nu explica astfel de lucruri. Parcă încerca să facă totul de neînțeles, ca să rămână secrete și lucrurile cu adevărat interesante. Apoi, mult mai târziu – cam acum zece ani –, pe când zburam deasupra Pacificului și mă uitam absent pe fereastra avionului, mi-am dat seama că nu știam absolut nimic despre singura planetă pe care aveam să trăiesc vreodată.

ALTE LUCRURI PE CARE NU LE ȘTIAM...

- ce e acela un proton sau o proteină;
- care e diferența dintre un quarc și un quasar;
- cum reușesc geologii să-și dea seama de vârsta unui strat de rocă dintr-un canion doar uitându-se la el;
- cât cântărește Pământul, ce vârstă au rocile și ce e cu adevărat în centrul lui;
- cum și când s-a născut universul și cum era totul pe-atunci;
- ce se întâmplă în interiorul unui atom;
- de ce oamenii de știință nu pot încă anticipa cutremurele și nu pot prezice nici măcar condițiile meteo.

Sunt foarte încântat să vă spun că, până la sfârșitul anilor 1970, nici oamenii de știință nu știau ce să răspundă la întrebările astea. Însă n-au lăsat să se vadă nimic.

CUM SĂ PREPARAȚI UN UNIVERS

Deci de unde am venit și cum a început totul? Ei bine, când lucrurile s-au pus în mișcare cu adevărat, asta s-a întâmplat la nivelul atomilor – particulele acelea de materie minuscule care compun tot ce există. Însă mult timp n-au existat nici atomi, nici vreun univers în care să se miște. N-a existat nimic – chiar nimic, nicăieri –, doar ceva inimaginabil de mic pe care oamenii de știință l-au numit singularitate primordială. **Se pare că a fost totuși suficient!**

REȚETĂ PENTRU PREPARAREA UNIVERSULUI

Aveți nevoie de:

- un proton – redus la a miliarda parte din mărimea lui;
- orice particulă de materie (adică praf, gaze și orice altă particulă de materie pe care o puteți găsi) între locul unde vă aflați și limita ultimă a creației;
- un spațiu – mult, mult mai mic decât protonul deja extrem de mic!

Luați un proton...

Oricât ați încerca, n-o să puteți niciodată să vă dați seama cu adevărat cât de mic e un proton. E pur și simplu mult prea mic. Protonul reprezintă o parte infinitezimală dintr-un atom, care e el însuși inimaginabil de mic, desigur. Închipuiți-vă acum, dacă puteți (sigur n-o să puteți), cum ar fi să reduceți unul dintre protonii aceștia la a miliarda parte din dimensiunile lui obișnuite.

Adăugați...

- toate particulele de materie pe care le-ați găsit;
- se îndeasă într-un spațiu atât de infinitezimal de mic, încât e complet lipsit de dimensiuni.

Excelent! Sunteți gata să creați universul.

PREGĂTIȚI-VĂ PENTRU UN BIG BANG ASURZITOR

Desigur, o să doriți să mergeți într-un loc ferit, de unde să puteți savura tot spectacolul. Din păcate, n-aveți unde să mergeți, pentru că împrejurul micului, foarte micului vostru amestec de ingrediente nu există nici un „unde". E normal să vreți să înțelegeți începutul ca pe un fel de punct ce atârnă undeva, în spațiul întunecat și nelimitat care îl înconjoară. Însă în momentul de față nu există nici spațiu, nici întuneric. Universul nostru se naște din nimic.

APĂREM IMEDIAT

Într-o singură pulsație orbitoare, un moment de glorie prea rapid și prea dramatic să poată fi exprimat în cuvinte, ingredientele voastre prind dintr-odată formă.

- Prima secundă strălucitoare dă naștere **gravitației** și celorlalte forțe care guvernează fizica.
- În mai puțin de un minut, universul se extinde deja pe milioane de miliarde de kilometri și continuă să crească rapid.
- Se degajă multă căldură, 10 miliarde de grade, destulă cât să înceapă reacțiile nucleare care vor crea apoi elementele cele mai ușoare – mai ales **hidrogenul** și **heliul**.
- Și, în trei minute, 98% din tot ce este sau va fi în univers a fost produs deja.

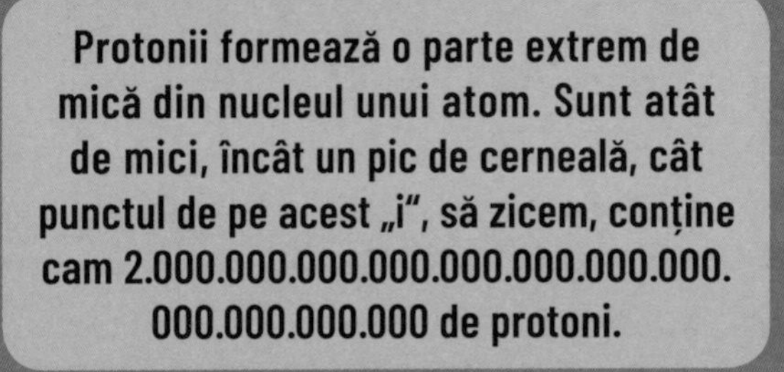

ȘI AȘA, DIN NIMIC, SE NAȘTE UNIVERSUL NOSTRU

Momentul exact când a avut loc acest proces este încă în discuţie. Cosmologii s-au contrazis mult timp, fără să poată spune precis dacă momentul creației a avut loc acum zece sau douăzeci de miliarde de ani sau cândva între cele două intervale. Consensul pare a fi de circa 13,7 miliarde de ani, dar aceste lucruri sunt extrem de greu de măsurat, după cum vom vedea în continuare. Tot ce putem spune cu adevărat e că, în trecutul foarte îndepărtat, din motive neclare, a survenit momentul cunoscut în știință drept „timp egal cu zero", sau **t = 0**.

Înainte de Big Bang, nu exista timp. Dar, într-o fracțiune de fracțiune de secundă, **t** a devenit ceva. Să vedem ce.

Avem un univers. E un loc deopotrivă uimitor și frumos. Nașterea lui a durat cam cât ne-ar lua să facem un sandvici.

BIG BANGUL

Teoria Big Bangului nu se referă atât la explozia în sine, cât la ce s-a petrecut după aceea. La foarte puțin timp după aceea, țineți minte. Făcând o grămadă de calcule, oamenii de știință cred că au reușit să identifice momentul din trecut când, la a zece milioana de trilioana de trilioana de trilioana parte dintr-o secundă de la naștere, universul era încă atât de mic, încât v-ar fi trebuit un microscop să-l puteți vedea.

INTRĂ ÎN SCENĂ GRAVITAȚIA...
La a zece milioana de trilioana de trilioana de trilioana parte dintr-o secundă de la nașterea universului a apărut gravitația.

ELECTRO-MAGNETISMUL,
forțele nucleare — chintesența fizicii — apar și ele imediat.

PARTICULE DE TOT FELUL
apar și ele din nimic. Dintr-odată, avem roiuri de protoni, electroni, neutroni și nu numai.

IATĂ SOARELE NOSTRU
Un vârtej imens de gaz și de vreo 25 de miliarde de kilometri diametru începe să prindă formă în spațiu. Practic, tot acest vârtej, adică 99.9% din el, ajunge să alcătuiască Soarele.

Deși îi spunem cu toții Big Bang, experții ne recomandă să n-o privim ca pe o explozie obișnuită. A fost mai degrabă un proces de expansiune la o scară inimaginabilă.

IATĂ ȘI PĂMÂNTUL
Din materia rămasă, două grăuncioare microscopice plutesc atât de aproape unul de celălalt, încât, sub efectul forțelor electromagnetice, se unesc. Așa s-a născut planeta noastră.

PLANETE-BEBE

Același lucru se întâmpla în tot sistemul solar. Particulele de praf intrate în coliziune au format mase din ce în ce mai mari. În cele din urmă, ghemotoacele au crescut suficient cât să fie numite planetezimale. Pe măsură ce creșteau și se ciocneau între ele la nesfârșit, planetezimalele se descompuneau și se compuneau iar și iar în tot felul de moduri. Însă de fiecare dată una ieșea în avantaj, iar unele planetezimale au crescut suficient cât să domine orbita pe care se roteau. Totul s-a petrecut uimitor de repede. Creșterea de la o masă redusă de particule la o planetă mică a durat probabil doar câteva zeci de mii de ani.